LES PROMESSES

AMANDA STHERS

LES PROMESSES

roman

Photo : JF Paga © Grasset, 20

ISBN : 978 2 246 85527 9

Tous droits de traduction, de reproduction et d'adaptation r

© Éditions Grasset & Fasquelle, 2015.

BERNARD GRASSET
PARIS

Photo : JF Paga © Grasset, 2015.

ISBN : 978-2-246-85527-9

© *Éditions Grasset & Fasquelle, 2015.*

« Some dance to remember, some dance to forget. »

Eagles, « Hotel California ».

J'apprendrai la mort de Laure, par hasard, dans un café où j'achèterai des clopes alors que j'aurai cessé de fumer depuis longtemps. Envie soudaine d'encrasser mes poumons. Je croiserai une de ses amies.

— Mais tu ne savais pas ? Elle est partie bien vite, en trois mois, pouf ! Le pancréas, on ne peut rien faire.

Adresse griffonnée sur le paquet ; on l'enterrera l'après-midi même. Je passerai chez Louis, je lui dirai : « Laure est morte. » Il débouchera du vin et nous attendrons ensemble l'heure d'y aller. Il ne me proposera pas de m'accompagner. On affronte seul les rendez-vous d'amour.

Il sera treize heures trente. Je mettrai mon manteau. En juillet. Parce qu'il flottera des cordes et qu'il fera froid.

Alors, je me rendrai à ses obsèques, sans y être attendu. Ses enfants ne connaîtront pas mon visage, ne me demanderont pas de réconfort. Ils pleureront dans les bras d'hommes qui n'ont jamais serré leur mère comme moi je l'ai fait. Des mots parleront d'elle, mais je ne la reconnaîtrai pas. Je tenterai de trouver une sépulture pour l'amour qu'il me reste, et dont je ne sais que faire. Qu'il s'envole dans les chants du prêtre, dans les cœurs des autres.

Il me faudra une vie pour comprendre qu'elle en était la femme.

J'attendrai en retrait, que tout le monde s'éloigne, qu'on ait scellé sa tombe, pour m'en aller, à mon tour. Le dernier. J'irai me payer un ultime fou rire au-dessus de ce qu'elle n'est plus, en espérant contaminer le sol d'audace et lui dire adieu, au revoir mon amour. Et pour la première fois, je comprendrai le sens des regrets, qui me gifleront dans le sens contraire du vent. Et je tenterai de marcher, de faire le chemin du retour. En sachant que je me suis trompé de maison. Toute ma vie.

Je déambulerai sur le boulevard du Montparnasse, puis je me retrouverai dans la rue Campagne-Première. La pluie cessera. Je continuerai à m'enfoncer dans le XIVᵉ moins chic. En bas de l'ancienne maison de Laure, je me verrai à quarante-trois ans, je me regarderai droit dans les yeux et je me dirai :

— Qu'est-ce que tu fous ?

Et peut-être alors, sera-t-il encore temps ?

Est-ce que tu crois, Laure, que la mort est le pays des secondes chances ?

J'attendais toute l'année nos deux mois brûlants en Toscane, l'été, en famille, dans la demeure de Nonno, à Porto Ercole sur le mont Argentario qui surplombe la mer Tyrrhénienne. C'était grand, beau, impressionnant et un jour ce serait chez moi. Nonno aimait me le dire en empoignant mon petit cou dans une de ses mains chaudes. Comme son grand-père l'avait donnée à son père, qui la lui avait donnée, cette maison m'appartiendrait. Oui, répétait-il, un jour, tout sera à toi, Sandro. Son bras libre semblait englober l'horizon pour m'indiquer l'étendue qui m'attendait. Je frissonnais de fierté et lui aussi qui répétait mon prénom, Sandro, Sandro, comme pour me bâtir avec sa voix, ses idées, pour s'assurer qu'il survivrait à travers moi quand il ne resterait rien d'autre de lui que les larges pierres de ce petit palais. Mon père avait permis à maman de me prénommer Alexandre mais les hommes de la famille ne m'ont jamais appelé autrement que Sandro. Je ne sais pas quel prénom est le mien au fond, lequel j'ai mérité, ni lequel je suis.

Il y avait dans la villa voisine une demoiselle de mon âge qui n'était pas jolie : Sandra. Elle avait simplement ce port de tête et cette désinvolture de petite fille riche qui agacent les hommes et les rend amoureux. J'étais donc transi et je la laissais me torturer doucement dès le jour de nos retrouvailles et durant toute la saison estivale. Nous l'invitions souvent pour jouer et boire des orangeades que la femme de Nonno pressait avec les fruits du jardin. Parfois, Sandra venait lorsque nous embarquions sur le bateau de bois d'acajou de Nonno qui retirait exceptionnellement sa veste en lin et retroussait les manches de sa chemise. Il prenait la barre et n'autorisait le pauvre skipper qu'à lui allumer ses cigarillos en silence.

— T'ai-je déjà raconté Sandro que Porto Ercole était encore une île jusqu'au XVIIIe siècle ?

Bien sûr, il me l'avait raconté, la semaine précédente et l'été d'avant, et celui d'avant encore mais je ne répondais pas et je le laissais me répéter l'histoire de son monde. Il me disait comme, petit à petit, les dépôts d'alluvions avaient formé deux grandes bandes de sable et il me montrait au milieu le village d'Ortebello.

— Tu comprends, Sandro, la lagune a rattaché l'île à l'Italie. Ici, ce n'est pas comme le reste de la Toscane. Les Espagnols et les Napolitains ont dominé cette île chacun à leur tour, c'est pour cela que les maisons ne se ressemblent pas, regarde autour de toi, les énergies, les couleurs sont différentes, tu vois Alessandro ?

Moi, je ne voyais que les paysages sauvages autour, les arbres sur lesquels j'aurais voulu grimper, les rochers et la mer. Le monde à pic au-dessus de notre bateau : l'aventure à l'horizon. Et devant l'aventure, comme pour lui barrer la route, Sandra qui coiffait sa poupée auprès de sa nounou, une grosse Espagnole moustachue. Il fallait systématiquement que Sandra me cache l'avenir. Les femmes ont toujours eu pour moi un goût d'empêchement délicieux.

— Et nous nous allons vers l'ouest sur l'île de Giglio! Viens barrer avec moi Sandro!

Je me disais que maman était l'île, et moi la bande de sable qui l'accrochait à la Toscane. Elle ne se sentait jamais à l'aise les mois d'Italie. Sur le bateau, elle avait sa place avec papa. Il l'attrapait par la taille et elle le regardait comme un héros. Maman venait d'une famille pauvre. Nonno avait donc décidé qu'elle était une prostituée. Il ne comprenait pas pourquoi papa l'avait épousée. Je l'ai entendu dire plusieurs fois en italien, afin que maman ne comprenne pas mais que je n'en perde pas une miette, que certaines femmes sont faites pour s'amuser et qu'on épouse les riches, celles qui nous ressemblent, qui ont été élevées pour nous. On ne croise pas les pur-sang et les percherons.

Maman terminait sa formation d'infirmière quand papa l'a rencontrée dans un café de Saint-Germain-des-Prés. Il découvrait Paris. Son père lui avait permis d'y

15

passer une année sabbatique et pour soulever une ribambelle de jupes parisiennes avant de revenir vers sa fiancée qui l'attendait sagement. C'était l'été 1943, on baisait pour un rien, la mort qui rôdait faisait office d'aphrodisiaque. Quand mon père vit la blonde délicate qui lisait à la terrasse du Café de Flore, le cliché surpassa ses espérances. Elle rougit lorsqu'il lui demanda de l'aide pour passer commande avec son accent italien. Il crut que c'était l'émotion, mais maman tremblait de peur. À l'époque, elle passait des messages pour la Résistance. Elle oublia donc sciemment le livre qu'elle était supposée remettre après un signe de tête à une grosse dame brune et papa ne s'en rendit pas compte.

Il l'avait aimée tout de suite et le lui avait dit. Ma mère était maladroite, farfelue, inconsciente de son charme, gênée par ses seins lourds et ses trop grands yeux. Papa n'en revenait pas de cette séduction sauvage, de cette absence de fioritures, de la beauté et de l'intelligence brute de cette femme. Elle tomba enceinte au bout de quelques mois, et papa l'épousa. Il fallut juste avant lui avouer que son accent du premier jour était factice, mon père parlait couramment cinq langues et s'apprêtait à entamer une carrière de diplomate que la guerre rendait bancale et incertaine. Il était bien décidé à exercer ce métier qui allait avec son absence de sens moral mêlée à une fougue oratoire et un brio politique hors pair. La diplomatie était faite pour ce joueur d'échecs. C'est en tout cas ce qu'il s'imaginait avant que son père Giuseppe (que je n'ai jamais appelé que Nonno), ne l'oblige à reprendre les affaires familiales et qu'il se soumette à sa volonté. Maman non plus n'a jamais pratiqué son métier d'infirmière. Papa disait qu'il ne voulait pas qu'elle touche d'autres peaux ni qu'elle risque de tomber malade, en réalité c'était un métier de plouc à ses yeux. Nonno haït sur-le-champ cette Française qui s'était fait engrosser et dont le ventre s'épanouissait au même rythme que la tumeur de sa femme. La Nonna, qui n'était alors que la Mamma, est partie la veille de mon arrivée, comme si l'imminence de ma naissance avait tué ma grand-mère. Elle n'eut le droit à son surnom de Nonna qu'à titre posthume. (Je comprendrai dans le cabinet de mon psychanalyste, des dizaines d'années plus tard, qu'une femme devenue grand-mère sera désormais à mes yeux une femme morte.) Les larmes de mon père avaient le goût de mille émotions quand il me prit la première fois dans ses bras, et il décréta : « Il lui ressemble. » Grâce à cela, Nonno s'était mis à m'aimer, un peu malgré lui et, surtout, contre ma mère. Il voulait que je sois un des leurs. Maman ne serait jamais qu'une Française sans le sou. Et moi, j'étais sa descendance. Le petit-fils de Giuseppe Brastini d'Alba, encore plus que le fils de mon père. Papa ne le satisfaisait pas complètement et j'avais senti très vite peser sur mes épaules les rêves de Nonno que mon père n'avait pas su exaucer.

Alors qu'à terre il était strictement interdit de s'immiscer dans les conversations des adultes, j'avais le droit de m'exprimer sur le bateau. De peur qu'on ne m'interrompe, je parlais très vite, et Nonno riait :

— Ça se bouscule dans la tête de cet enfant ! Vous êtes combien là-dedans ? Une question à la fois !

18

J'en ai gardé une élocution précipitée et timide.

Passionné par les aventures de Barberousse que je réclamais sans cesse, j'interrogeais Papa sur la longueur de sa barbe, sa cruauté, et Nonno, il l'a connu ?

— C'était en 1534, Sandro, Nonno n'était pas né !

Alors qui était né ? Comment le savait-on ?

Les livres, évidemment. Toutes les réponses à la vie, ce qui s'était passé, ce qu'il fallait faire, ce qui nous attendait, tout était dans les livres. C'était le moyen de connaître les morts et les lieux disparus.

Mais Barberousse alors, pourquoi il n'est pas resté sur l'île ?

— Parce que les pirates sont des nomades des mers ! Ils détruisent et ils partent.

— Raconte-moi papa, raconte-moi comment il a volé tous les gens de l'île pour en faire des esclaves !

— Je te l'ai déjà raconté hier, Sandro.

— Tu racontes mieux que dans ma tête.

Il prenait un ton solennel et me contait à nouveau toute l'histoire qui explique pourquoi, aujourd'hui encore, il y a des rouquins vers Giglio. On dit que ce sont des descendants de Barberousse. Ensuite venaient les attaques repoussées par les Médicis et la victoire sur les pirates cruels.

Nous mimions un terrible combat d'épées, sous le regard méprisant et amusé de Sandra. J'en sortais vainqueur, et mon père transpercé au cœur mourait dans des râles qui n'en finissaient pas. Maman s'agenouillait sur son cadavre. Mon grand-père faisait alors sonner un rire cruel et annonçait que Barberousse n'était pas mort, qu'il reviendrait et ne laisserait aucun survivant cette fois ! Maman suppliait de cesser : j'allais faire des cauchemars.

Nonno me faisait peur devant les autres mais lorsque nous nous retrouvions tous les deux, il apparaissait sur son visage un sourire telle une panoplie d'enfant cachée sous ses vêtements d'adulte. Il portait des costumes sur mesure : lin écru l'été, trois-pièces marine les jours plus froids. « Pour être unique, Alessandro, un homme doit inventer son propre uniforme. » Mon grand-père l'avait compris bien avant Superman. Quiconque le rencontrait, le gardait en mémoire comme un tableau de maître. Nonno était beau. Son visage émacié et racé, orné d'une fine moustache en forme de bouche boudeuse, lui valait les sourires des femmes. Athlétique, les cheveux blancs comme des plumes de colombe. Lorsque Nonno se faisait servir son digestif dans la véranda, il avait son jeu de cartes près de la carafe en cristal. Il s'en emparait avec jubilation, battait les cartes et jouait à la Scopa. Quand il était seul avec papa, ils s'affrontaient en se hurlant dessus, mais lorsque, par chance, il avait deux invités qui savaient comment se jouaient ces parties typiquement italiennes, alors papa et Nonno se mettaient en équipe et ils devenaient, selon leurs dires, « Imbattibile ».

Quand une Scopa s'annonçait, maman m'éloignait car une des particularités de ce jeu est le besoin de mémoriser la plupart des cartes déjà posées sur la table. Mes mouvements brouillons et mon enthousiasme les déconcentraient trop. Alors, au moment de la distribution, je traînais ma petite carcasse déçue loin des grands mais je ne cessais de crier « Imbattibile ! » comme pour faire partie de leur équipe. Nonno et papa le répétaient en chœur comme un cri de guerre : « Imbattibile ! » Puis, ma voix se faisait lointaine, ils ne lui répondaient plus. Avec Nonno, comme avec papa, je parlais italien. C'était la langue des hommes. La langue de mon avenir, celle qui, pensais-je, rythmerait l'arrivée de ma vie d'adulte. Jamais je n'ai imaginé que les mots enchantés qui m'endormaient de leur musique, quand papa et Nonno, au lieu de jouer, fumaient le cigare tard le soir dans l'orangeraie, sonnaient en fait le glas de mon enfance : que ce serait la langue de la peur, du danger, du temps qu'on ne saisit jamais.

Maman, qui est née dans la Nièvre, me berçait en français. Ces soirs chauds, dans l'odeur des alcools, des cigares et du parfum au vétiver de Nonno, elle me prenait dans ses bras délicats, m'approchait de papa pour une caresse, puis j'entendais ses pas sur le gravier, blotti lourdement sur elle. Les voix se faisaient lointaines, elle poussait d'un pied la porte en bois de la maison, ses deux bras m'entouraient fermement. Nous entrions dans le silence tendre de la vieille bâtisse. Il fallait que ma mère fasse un arrêt entre les deux étages pour reprendre son souffle, un baiser marquait souvent la reprise de l'ascension puis elle me glissait dans mes draps frais. Elle fermait les persiennes, qui tintaient d'un bruit de bois violon et de rouille, puis me bordait avec soin. Je la retenais d'une main molle et elle restait volontiers jusqu'à ce que je m'endorme complètement. Parfois, je riais aux éclats quand maman s'essayait à prononcer quelques bribes d'italien. Je me moquais tellement qu'elle abandonnait aussitôt. Les seuls mots que nous lui autorisions papa et moi étaient *Amore* pour lui et *Piccolo* pour moi. L'italien, c'était ma langue avec papa, c'était notre lien, je veillais jalousement à ce que ma mère ne s'en empare pas. La femme de Nonno, une Allemande à l'accent prononcé, n'était pas ma grand-mère. Papa le lui rappelait suffisamment souvent pour que je le comprenne avant même de faire mes premiers pas. Je ne tendais pas mes bras vers elle. Je ne sais plus où elle était ces soirs-là. Aujourd'hui, j'ai oublié son visage. Je me rappelle juste cette sorte de bassine de marbre dans la cour dans laquelle, les journées de grande chaleur, l'Allemande et Norma, la cuisinière de Nonno, aidaient maman à me laver à grande eau. On me savonnait, on me gratouillait, on me disait que j'étais beau. Je cachais mon sexe dans mes mains, surtout de peur qu'il ne se dresse de joie. Ça savonnait, ça me complimentait, ça moussait de partout. Ça se bousculait dans toutes les langues : « *Wunderbar!* ». « *Bellissimo!* » Mon fils... Les trois femmes s'extasiaient. Elles trempaient leurs gants dans l'eau chaude pour me frictionner encore. À leurs yeux j'étais débarrassé de toute impureté. Un ange sur une fresque d'église. M'embrasser devait être comme toucher un talisman. Quand j'étais arrivé à satiété d'affection, que j'avais refusé leurs baisers plusieurs fois, repoussé les câlins et leurs mains pleines d'ongles dans ma tignasse, alors là seulement elles me laissaient seul et je me sentais écœuré de tant d'amour et plein d'un pouvoir indescriptible. C'était une de mes joies d'été, j'y pensais quand le froid me saisissait et grignotait le bout de mes souliers fatigués de l'école dès le mois de novembre. La chaleur m'envahissait alors et je sentais monter en moi la force des êtres aimés.

Chaque année, Jacques rencontre la femme de sa vie et nous oblige à épouser ses lieux de vacances, ses habitudes alimentaires, et ses goûts musicaux. Dîner de présentation, formule renouvelée : il s'agit de s'émerveiller en dégustant la spécialité de l'élue, tout en faisant la connaissance de ses amis réunis autour d'une table chinée aux puces, dans le même duplex, sans cesse fraîchement décoré. Qu'a fait Jacques des tables précédentes ? Je ne le sais toujours pas. L'amitié qu'il nous porte à Louis et moi est la seule chose stable de nos trois vies. Qu'avons-nous en commun d'autre que les souvenirs ? Est-il possible que la paresse m'ait fait garder mes deux amis d'adolescence toute mon existence ? Louis, professeur de français au lycée Henri-IV, n'a jamais quitté son appartement bourgeois de la rue de la Tour, hérité de sa grand-mère et qui jure avec ses idées d'extrême gauche, ses vestes de velours et son humilité. Jacques, successivement marchand d'art, broker en informatique, agent immobilier, vendeur de bateaux à l'heure de la défiscalisation, toujours avec un certain succès, loue chaque été de merveilleuses maisons dont il nous fait généreusement profiter. À chaque aventure, ses grands bureaux se remplissent d'employés qui manigancent je-ne-sais-quoi. Il est le seul homme que je connaisse à posséder autant de cardigans et à les porter avec joie, voire avec une certaine élégance. Jacques a eu la moustache à plusieurs reprises. Louis est imberbe. J'ai la conviction intime d'avoir lancé la mode de la barbe de cinq jours, au lieu des trois requis, mais j'aime aussi avoir la peau des joues nue. Jacques et Louis sont la seule chose de ma vie que je puisse conjuguer à tous les temps.

Il est arrivé, cependant, que nous ne voyions plus Jacques les premiers mois d'une nouvelle histoire, car il est entièrement dévoué à sa cause. Dans ces moments-là, nos dîners rituels du mardi se font sans lui; quand j'arrive, Louis est installé seul et m'annonce la couleur. Nous mesurons son niveau d'amour comme les services secrets britanniques évaluent la menace terroriste mondiale, sous le nom de code : Bikini. Le bikini rouge étant l'alerte maximale, le blanc, la plus faible. Au milieu il y a le noir, le noir spécial, et l'ambre. Cette fois-ci, la menace est élevée, nous n'avons pas vu Jacques depuis notre retour de Crète et la fin de son histoire précédente. Le week-end avant le dîner, nous en riions avec ma femme, Bianca, dans la voiture, lorsque nous étions allés récupérer Louis pour partir en Normandie. Sans un bonjour, il avait immédiatement lancé un : Bikini Ambre.

Nous reconnaissons Jacques malgré toutes ses mues, à sa capacité intacte d'émerveillement et son aptitude au renouvellement de l'amour éternel. Il est si enthousiaste qu'il parvient presque à nous convaincre, à chaque fois, qu'avec celle-ci c'est différent. Je dois dire que les amoureuses de Jacques, comme il se plaît à les nommer, ont toutes une chose spéciale. Elles sont drôles, intelligentes, créatives, profondes, hypersexuées, militantes, mais rarement tout à la fois. L'unique constante est leur indéniable beauté. Seule la mère de son unique enfant, âgé de deux ans, possède un physique plus étrange, mais elle est, sans conteste, extrêmement excitante. Nous sommes donc impatients, Louis et moi, de rencontrer la nouvelle et son univers qui va enrichir notre stock de critiques, mauvaises vannes, et souvenirs, dans les mois à venir. Nous pouvons passer des dîners entiers à nous remémorer les conquêtes de Jacques et le lot de bizarreries qui a aussitôt pénétré sa vie. Pour en citer quelques-unes dans le désordre : la passion du patinage artistique de Douchka qui le menait à des shows chaque week-end affublé de vestes à paillettes, la conversion à une alimentation végétalienne lors du passage de la Tahitienne Haimata aussi violente et épisodique qu'une tornade, l'adoption d'un nombre élevé de yorkshires nains pour satisfaire Juliette ou encore sa passion subite pour le jazz fusion, consécutive à son idolâtrie pour le fessier d'une jeune et belle chanteuse new-yorkaise à la peau cuivrée qui répondait au doux nom de Dee.

Quand Jacques me présente Laure, je suis soulagé de comprendre qu'elle n'est que l'amie de sa nouvelle amoureuse et je me désigne sous le nom de Sandro Spontanément, je lui donne mon prénom dans la langue des hommes de ma famille. Elle répète : Sandro, comme si elle comprenait qu'elle détenait la clé de l'intime, ce que j'ai de secret. Son amie m'interroge.

— Ce n'est pas Alexandre ?

— Pas pour tout le monde, je réponds, en dévisageant Laure comme si j'allais la dévorer.

Je ne saurais dire si elle est belle. Oui, sûrement. Des taches de rousseur qui ponctuent son visage, des cheveux longs, bouclés, auburn. Des fesses et des seins pleins. De longues jambes. Et des yeux bleus qui prennent tant de place qu'on ne réalise sûrement qu'en l'embrassant combien sa bouche charnue est sensuelle.

— Le fameux Alexandre, répond Laure.

Pour souligner ma supercherie d'intimité italienne. Ma femme a la bonne idée d'être en retard pour cause de varicelle de notre dernier-né. Je suis donc seul face à elle. J'arrive directement d'une foire aux livres, j'y ai déniché une première édition des *Fleurs du mal* dédicacée par l'auteur à son beau-père détesté, le général Aupick. Dans le train de retour, j'ai savouré l'ennui de ma vie. Je me suis dit que voilà, tout était en place. Il n'y avait plus qu'à mourir. Et l'ennui était tel justement que cette idée n'avait plus de prise sur moi. J'étais paisible, je me suis même prononcé intérieurement, comme un con, le mot « maturité ». Content de moi. La vie tiède. Tout allait bien encore, il y a une heure lorsque je descendais du train.

Mais, en regardant l'ourlet de ses lèvres, la place qu'il y a entre son nez et le haut de sa bouche, son rire qui étend cette terre de porcelaine que je voudrais accoster, à ce moment précis, l'amour prend racine dans ma tête. Il ne s'en ira plus. Les certitudes de la fin de journée, fruit de quarante années de vie, sont détruites. Laure n'est pas belle, elle est mieux que ça. Elle est singulière. Elle est désirable. Il y a entre ses yeux et les miens une force qui nous oblige à sourire quand nos regards se croisent. Nous sommes, soudain, deux silhouettes dont les ombres se prolongent loin derrière nous, dans un monde auquel les autres n'ont pas accès.

Je ne me pose pas la question de savoir si Laure m'aime en retour, je le sais, en un instant. Le regard que Laure pose sur moi est comme un plaid posé sur les épaules d'un homme saisi par le froid, mais qui ne le sentait pas, presque anesthésié par l'habitude des vents glacés qui soufflaient sur sa vie.

Elle m'assurera des années plus tard être tombée amoureuse de ma voix qui annonçait la bouteille de vin offerte et qui se moquait de Jacques :

— J'ai l'impression que tu n'es plus chauve, Jacques. C'est l'amour, non ? Il ne vous l'a pas dit ? Avant de vous rencontrer, il était complètement chauve.

Jacques répondit :

— Écoute, dès que j'ai aperçu Géraldine, une cascade de cheveux m'est apparue sur la tête. C'est bien simple, j'étais Kojak, elle a fait de moi un Bee Gees.

Et tandis qu'il riait, comme toujours, de ses propres blagues, Laure m'a dit avoir eu envie d'embrasser ma nuque. Comme si je lui avais appartenu. Je me suis retourné vers elle et on nous a présentés. Quand mon premier regard a croisé le sien, elle m'aimait déjà depuis quelques minutes. Avant même d'avoir vu mon visage.

Le ton est joyeux, la conquête de Jacques a des amis charmants. Elle place Laure face à moi. Son futur mari près de ma femme. Nous buvons un château-latour, dont je m'efforce de garder le goût en mémoire pour ne pas oublier le visage de Laure ce soir-là. Et pour la trentième fois, on réclame que je raconte comment nous nous sommes rencontrés Jacques, Louis et moi. La nouvelle fiancée de Jacques meurt d'envie de savoir, comme les précédentes. Ces amis inséparables depuis presque trente ans, ça les intrigue. Nous étions à Condorcet. D'abord j'ai rencontré Louis, en cours de mathématiques. C'était en quatrième avec Monsieur Suzon, un grand moustachu affecté d'une haleine terrible, que nous avions de ce fait surnommé « qui ne dit mot qu'on sent »... Il nous avait gratifiés d'une interrogation surprise et c'était réjouissant de savoir qu'il fermerait la bouche une heure. (Cette anecdote d'un goût douteux faisait toujours beaucoup rire donc je ne manquais pas d'en rajouter à chaque dîner un peu plus.) J'étais arrivé en retard, et je pris place à côté de Louis qui ne faisait pas partie de ma bande et auquel j'avais dû adresser trois mots en six mois. Louis avait fini tous les exercices très rapidement, je soupirais, il se saisit de ma feuille et y inscrivit les bons résultats avec mon écriture qu'il reproduisit sans une hésitation. À la sortie, je lui offris une clope. C'était les deux semaines de ma vie adolescente pendant lesquelles j'ai tenté de me mettre à fumer. Louis grilla la cigarette comme on siffle une tequila cul sec. Ma toux le fit rire.

— Comme ça. Comme quand tu prends de l'air avant de mettre la tête sous l'eau.

Je me marrais à mon tour d'imaginer Louis dans une quelconque piscine. Il était évident que son corps, qui semblait avoir rétréci au lavage, n'était pas fait pour enfiler des maillots de bain et qu'aucune clope ne m'irait au bec. J'éteignis donc ma première cigarette, je lui offris le paquet, et nous devînmes amis.

Le reste de la classe l'appelait le vampire et ça lui allait bien.

Louis m'interrompt toujours à ce moment-là de l'histoire pour préciser que depuis je fume un paquet par jour et ma femme en rajoute. Je passe par-dessus leurs voix et reprends mon récit, aidé par Jacques qui attend son apparition... Nous avions rencontré Jacques au lycée lorsqu'il cherchait des membres pour son groupe de musique. Je jouais un peu de guitare et Louis du piano. Jacques avait deux ans de plus que nous et c'était le tombeur de Condorcet. Il avait redoublé et, d'après la légende, il avait cassé la gueule d'un prof. Pattes d'eph', chemise satinée près du corps et veste légère, même les jours de froid. Le mec était sacrément impressionnant. D'autant que Louis avait décidé de s'habiller comme un vieux dès l'adolescence, pour prendre de court le temps qui passait. Le contraste était saisissant. Jacques détonnait. Nous nous sommes donné rendez-vous au café dans l'église Saint-Louis-d'Antin. C'était un jour de froid. Je me souviens qu'on avait tous des bonnets ridicules. On a bu des panachés, parlé de la mort d'Albert Camus dans un accident de voiture. Nous n'étions joyeusement d'accord sur rien, avec humour et intelligence. Nous avons ri, chaque jour après la classe et nous avons continué des années à parler de nos concerts et du genre de musique qu'on allait composer, sans avoir jamais joue à autre chose qu'au baby-foot. Ce qui ne me semble pas être une grande perte pour le patrimoine musical de notre pays. Nous nous sommes en revanche présentés comme un groupe de musique pendant des années, pour draguer, et ça marchait très bien... pour Jacques.

Cette dernière phrase bien rodée fait rire à chaque fois. Laure sourit. Ses yeux ne me lâchent pas. Je ne parle que pour elle malgré la présence de ma femme Bianca qui semble ne rien voir. Comme si l'amour qui naît, là, entre Laure et moi, était une chose si pure et délicate que nul n'aurait pu la surprendre, mais qui irradie tout autour de la table. On interroge Laure sur son mariage, qui doit avoir lieu dans quelques mois. Son fiancé est un bel homme sympathique. Je n'en suis pas jaloux. Je ne peux projeter quoi que ce soit d'autre pour Laure que nous. Je suis dans l'instant, je vis cette naissance, ce boucan calme dans ma poitrine. La voix de Laure est saccadée, elle bouffe la fin de ses phrases, pressée, comme si elle avait peur qu'on ne l'écoute pas jusqu'au bout, on sent ses idées se bousculer dans sa tête. Je retrouve le ton de mon enfance, le phrasé que j'ai perdu quelque part sur le chemin. La malice. L'espièglerie. Le second degré. Ma femme en revanche prend son temps, laisse des vides, répond posément. Bianca est un grand champagne, et Laure une bulle. Prête à exploser.

On ne cesse de rire ce soir-là. De s'entendre. De surenchérir. De se disputer avec esprit, bonhomie, et le vin coule. Nous sommes tous heureux, je pense, oui. En rentrant, ma femme dit : « C'était comme des vacances, je pourrais partir avec tous ces gens en vacances. » Et mon cœur se serre. Je suis amoureux. Comme un adolescent, comme Jacques, sans aucune retenue. Bianca porte une de ses vestes à épaulettes dont c'est la mode. Elle a de la force, elle tient droit, comme ce bout de tissu structuré. Laure non, elle file entre les doigts comme du vif-argent. C'est une robe qui vole au vent, un vêtement sans couture. Je caresse les cheveux de ma femme en pensant à ceux de Laure, dans une euphorie dont elle n'est en rien responsable et nous faisons l'amour. J'ai l'impression étrange de tromper Laure qui prend soudain toute la place. Jusqu'à faire mal. Je me concentre pour ne pas perdre de mémoire son parfum lavande et ambre. Je me suis attardé sur sa joue, dans son cou un instant de trop pour lui dire au revoir.

La première fois que j'ai vu un match de football dans un stade, j'avais quatre ans. Je ne m'en souviens évidemment pas. L'Inter de Milan jouait contre la Juventus et Nonno avait aimé me déguiser avec un costard rayé de mini-mafieux et me prendre comme leur mascotte à papa et lui. « Notre équipe » avait gagné et je suis rentré, excité par les cris des supporters. J'étais le petit zèbre de la maison. Maman n'arrivait pas à me calmer, surtout, me raconta-t-elle plus tard, parce qu'une tablée entière d'hommes se déchirait entre l'Inter et l'AC Milan. Une ville, deux équipes, deux états d'esprit, deux appartenances très différentes, une bonne raison de se disputer. Après des heures de cris, je me mis à hurler à mon tour, mais ce cri-là gênait les leurs. Maman me prit donc dans ses bras et nous partîmes nous promener dans le jardin, chercher dans la nuit claire un apaisement. C'est là que j'ai remarqué la lune.

— Regarde ! Tu as vu ? me montrait ma mère pour me consoler de mon gros chagrin.

C'est donc ici qu'est la balle de football quand elle s'endort ? Je voulais tant l'attraper que j'en avais oublié mes larmes.

— On ne peut pas chéri, elle est dans le ciel. C'est le ballon des dieux.

La nuit suivante puis celle d'après, il fallait que je la voie. Nonno m'a emmené dans le jardin et m'a désigné : la luna. Mais elle n'avait plus la forme d'un ballon, ensuite, seulement la moitié et puis presque plus rien. Où était-elle passée cette première lune ? Je retiens plusieurs choses de la compréhension de la lune déclinante : mon premier souvenir, ma première déception et la vision que j'ai eue de la vie jusqu'à maintenant. Les choses ne sont pas immuables. Tout passe. Tout s'en va. Et moi aussi je partirai. Dans la langue des hommes la lune va vers sa fin, dans celle de ma mère, c'est une lune pleine ronde et consolante. Cette lune fondatrice vivait au-dessus de la demeure de mon grand-père dans son ciel italien. Je n'ai jamais fait attention à la lune ailleurs qu'ici.

Ma mère m'a raconté souvent mon insistance, la lune disais-je, la lune !

« Est-ce qu'il y a plusieurs la lune ? »

Non, c'est la même qui s'efface.

L'année de mes dix ans, mon père crut bon de faire de moi un homme. La manière était simple, il s'agissait de me lancer des défis permanents et de ne jamais me laisser gagner. Soudain, je ne touchais plus la balle quand nous jouions au football l'un contre l'autre dans le jardin, je ne remportais pas la moindre partie de cartes ou de badminton. Chaque point était obtenu dans la sueur. Même Nonno, que j'aimais mais que je considérais comme un vieillard, il avait alors soixante-trois ans, se mit à courir plus vite que moi. Parfois, mon père se contentait de m'attraper en entier comme un sac de linge sale et me balancer à la flotte à la vue de tous. Je me sentais ridicule et ça me mettait en rage, surtout je dois l'avouer quand Sandra regardait au loin, sous une ombrelle poétique, tandis qu'elle dessinait dans un grand cahier vert.

Ce fut une sorte d'humiliation permanente. Je me couchais en colère. Je n'avais plus envie de jouer mais celle de le battre me dévorait désormais. Il m'arrive des images floues de nuits où je tente de garder ma mère près de moi sous des prétextes de cauchemars dont j'invente le contenu au fur et à mesure que je les lui raconte, mon père est un centaure et je lui scie la tête et la pluie le balaye de nos vies et nettoie tout son sang et ce que je dis finit par m'effrayer pour de bon, car j'entrevois ce qu'il y a en moi d'effroi et de laideur.

J'ai oublié des blocs entiers de mon enfance, comme des stocks de mémoire inutiles, supprimés pour faire de la place au présent, mais les détails de cette journée-là je m'en souviens encore : le visage de mon père, son regard, tout. La façon qu'il avait de tirer sur sa clope, sa barbe de quelques jours, seule fantaisie de ses vacances ; son maillot noir, son corps sec impeccable, l'acier de ses yeux. Je me rappelle presque les détails de sa peau, de ses paumes de main, j'ai tout gardé en moi de ce jour de ma vie.

Ce jour d'août brûlant je l'ai battu après un mois et demi de défaites rageuses.

La maison de mon grand-père surplombait une crique à laquelle nous étions les seuls à avoir accès. Les quelques bateaux qui s'approchaient étaient rapidement sommés de fuir par Marcello, le gardien moustachu du domaine.

Nous allions souvent déjeuner derrière les rochers, dans le restaurant ombragé de la grande plage camouflée par une série de masses rocailleuses. Papa annonça qu'il irait à la nage. Il dit devant ma mère : « Qui arrive le premier ? » Mais maman m'interdit de me mettre à l'eau, « il y a des courants glacés », dit-elle, il est encore petit.

Je protestai, mais mon père nous mit d'accord en déclarant qu'il nagerait avec mon grand-père, tandis que je m'élancerais à pied avec maman. « Le premier arrivé à la plage ! » dit-il avec l'air méprisant qui accompagnait toutes ses annonces de défi. Puis, il envoya un baiser à maman et plongea.

Piqué au vif, je saisis la main de ma mère que je forçai à courir sur le chemin de cailloux. Puis, comme elle n'allait pas assez vite, je pris les devants. Son rire, comme une clochette, rythmait ma course folle et tentait de me suivre. Elle devait penser plus chic de chausser ses talons à la plage. Je ne me retournai pas. Je ne voulais pas voir son visage qui me signalerait que tout ça n'était à ses yeux qu'une plaisanterie. Je râlais, la hâtais de ma voix de petit chef. Nous arrivâmes les premiers, dépassâmes le restaurant de la plage où l'on me salua comme chaque jour. Je répondis brièvement pour me poster sur le sable et défier mon père lorsqu'il sortirait de l'eau. Enfin, enfin, l'heure de la revanche allait sonner. Je faisais des cercles victorieux, me tambourinant la poitrine. Maman qui souriait me dit de cesser. « Savoure ta victoire avec nonchalance, c'est bien pire… » Mais rien n'y faisait, je bombais le torse, je défilais comme un petit soldat. Et Madame admirait sa progéniture avec fierté. Chaque pas était une demande d'amour et son regard qui me couvait ne cessait d'y répondre. Je n'avais pas le temps de construire un monument de sable pour célébrer ma victoire, car je vis rapidement l'écume des nageurs. Nonno le premier. Il sortit et me frotta la tête tandis que maman lui tendait une serviette.

— Tu as gagné misérable !

Puis nous nous retournâmes ensemble vers la mer, la mer qui sembla soudain vide et glaciale.

— Où est Vittorio ? osa prononcer maman.

On attendit un moment qui me parut aussi long que ma vie depuis ce jour car j'ai tenté en cet instant d'en imaginer la forme et les chemins si papa ne revenait pas.

Nonno jeta sa serviette sur le sable et plongea dans l'autre sens. Maman appela à l'aide, je pense. Le jeune serveur du restaurant comprit dans ses bribes d'italien qu'il lui fallait plonger vite. En un instant la plage était noire de monde et la surface de l'eau toujours vide de mon père. Je confondais les nageurs au loin avec de l'espoir mais rien, ce n'était jamais lui.

Ma victoire soudain me rongeait le ventre. Je promettais en moi de ne jamais plus dépasser mon père si on voulait bien me le rendre. Je me promis de perdre tant que possible. Je voulais reculer, faire la course en arrière, trébucher, saigner du genou, arriver à la traîne et voir ses yeux moqueurs. Mes jambes étaient incapables de bouger. Papa arriva enfin dans les bras du plagiste mais la vie l'avait quitté.

Nous passons le week-end chez des amis, près d'Étretat. Je m'éloigne des bruits d'adultes pour pouvoir préserver cette magie qui me fait imaginer un millier de scènes dans lesquelles je finis toujours par embrasser Laure. Je joue à l'épervier, et je cours de toutes mes forces vers la dizaine d'enfants qui s'enfuit, certains sont déjà adolescents, je me jette à leur poursuite, sans la moindre retenue. À un moment, je me refuse à ralentir malgré la racine d'arbre que je vois sous mes pieds, je veux attraper le fuyard, je me jette au sol et je m'écorche le genou. Les gosses semblent trouver cela normal. Ça me met en joie, j'ai de la terre sur le visage. Je ne veux pas arrêter, pas me rincer. Je réponds « oh non! » à tue-tête avec eux, quand les parents nous disent que la nuit commence à tomber et qu'il faut rentrer, maintenant.

J'ai sûrement dû aimer Bianca, été ému, je ne sais plus. Il me reste tous ces morceaux d'enfance qui m'assaillent, que je pensais enfouis et qui viennent me protéger comme des bandages autour d'une momie, me paralyser aussi.

Je me regarde marié, père. Et je ne sais plus comment j'en suis arrivé là. Tout est passé en un instant. Dans le tamis de mes souvenirs, les fondations de ma vie d'homme ont coulé comme du sable.

C'est sans doute parce que je réinvente les choses aujourd'hui que je les analyse à froid. Comme les témoignages des croyants convaincus d'avoir vu la Vierge Marie, peut-être en y repensant se diraient-ils qu'après tout, il est possible que ça ait été une étoile filante ? Mais sur le moment, ils auraient juré sur la tête de leurs enfants que ça ne pouvait être qu'une lumière divine. Ma réalité d'alors est que j'étais totalement épris de Bianca, de ce qu'elle me renvoyait comme image de moi. J'aimais baiser son corps sec musclé et sa peau au hâle léger même en hiver. Sa tiédeur, je prenais cela pour de la sagesse. Son mépris, pour de la noblesse. Aujourd'hui je me dis que c'est juste une connasse maigre. On finit toujours par haïr les gens aux endroits par où on s'était mis à les aimer.

La nuit qui suivit sa mort, Maman vint dans ma chambre pour me caresser la tête et se faire panser de l'odeur de papa que je portais en moi, mêlée à la sienne. Le lit était vide. Elle me chercha et hésita un temps avant d'aller réveiller mon grand-père. En un instant, la maison s'agita de cris et de domestiques habillés à la hâte qui criaient mon prénom « Sandro ? Sandro ? » et la voix de maman répétait par-dessus « Alexandre ? ». Puis ils tentèrent d'explorer le parc. Maman courut jusqu'à la mer sur le chemin caillouteux. Les pieds nus, vite en sang. Et ça lui faisait du bien d'avoir mal, de saigner, qu'on puisse voir que l'intérieur d'elle-même était foutu en l'air, massacré. Alexandre ? Je me souviens peu de ma fuite. De sa voix, oui. Du « Alexandre !? » qui s'approchait de moi. Du clapotis discret des vagues. De mes mains qui fouillaient le sable avec soin. Le livre de papa ne pouvait pas avoir disparu. Il l'avait laissé avec une chemise sur notre petite plage. Personne n'avait pensé à les récupérer. La chemise était là. Comme depuis des siècles. Déjà rugueuse de sel. Mais du livre, aucune trace. Je ne me souviens pas de ce que maman m'a dit de cette nuit, sauf du son de sa voix teintée de mon obsession intacte : « Où est passé le livre de papa ? »

C'était une édition originale du *Barone Rampante* qui n'était pas encore *Le Baron perché* et ne vivait qu'en italien. La couverture du roman m'effrayait, des visages d'ombre et des branches comme des bras qui attrapent les cous pour les serrer et ne plus jamais relâcher leur étreinte mortelle. Papa avait ouvert la première page pour m'en montrer la dédicace : *Chaque homme doit trouver son arbre.* Italo Calvino était un ami de la famille, et il m'avait plus d'une fois ébouriffé les cheveux. J'avais demandé à papa de me raconter l'histoire, le matin même, car il semblait incapable de lever la tête pour jouer avec moi, happé par le livre comme par un monde mieux que celui que je lui proposais.

— Tu as dit que tu m'apprendrais le crawl, papa.

— Plus tard Sandro, je te le promets. En fin d'après-midi quand nous serons seuls tous les deux. Je finis mon livre d'accord ?

— De quoi ça parle ?

— D'un petit garçon qui ne veut pas manger ses escargots. Alors on le punit, il fuit la table familiale et se réfugie dans les arbres et il ne veut plus en redescendre.

— Jamais ?

Il n'avait pas fini le livre et il l'avait laissé sur la plage, ouvert aux trois quarts. Je l'avais vu précisément et défiguré comme un être qu'on jalouse. Ce petit garçon dans son arbre qui le retenait loin de moi, qui l'intéressait plus que moi. Il y avait peut-être eu une marée ? Sans doute le livre était-il enseveli dans le sable mouillé, sans doute sombrait-il ? Et je le voyais s'enfoncer comme papa, disparaître sous la terre. Alors je me mis à quatre pattes dans l'eau et je fouillai aussi. Insensible au froid, je grattais la terre meuble, le pyjama trempé du sang clair, salé et piquant de la meurtrière de mon père.

Maman me vit, me prit dans ses bras. Me porta comme si j'étais redevenu un tout petit enfant.

Et si papa avait décidé de vivre dans l'eau, comme le héros du livre vit dans les arbres ? Il fallait le replonger au fond de la mer. Sous l'écume, son cœur se remettrait à battre. Je voulais expliquer ça à maman mais épuisé par les larmes, les idées et le chagrin, je m'endormis sous la lune décroissante.

Il y eut une messe à Porto Ercole. Puis les gens suivirent le cercueil dans les rues étroites et pavées. J'étais trop petit pour voir le ciel embrumé des corps qui avançaient autour. Je sentais les étoffes me caresser le nez et l'odeur de la transpiration des gens car la chaleur était trop forte pour les costumes sombres que les circonstances les avaient obligés à porter. Le bruit de leurs talons. Noyé, dans cette masse qui avançait derrière mon père dans une boîte en merisier, comme un bout de bois charrié par un torrent dont je n'étais plus qu'une goutte; je ne pleurais pas. Les larmes des gens pleuraient à ma place. Et tout semblait si faux que je cessais d'y croire. Papa reviendrait et s'il ne revenait pas je serais triste un autre jour, dans le silence de mon rivage.

Nous partîmes à Rome l'après-midi. Notre voiture suivait le corbillard. Il n'y avait pas eu de mot. Rien ne m'avait vraiment été dit puisqu'il semblait que tout fût là. Un prêtre assis à l'avant avait emporté un en-cas qu'il avait sorti à mi-chemin. Ça empestait le pâté dans la voiture. Il nous en proposa. Je retins un haut-le-cœur. Je ne sais pourquoi je garde cela de ce jour atroce, une odeur à vomir. Ou était-ce mon état de chagrin qui me dégoûtait de toute chose ? Je ne saurais le dire. On m'avait bien peigné pour l'enterrement.

Je cherchais des souvenirs de papa comme pour en faire une collection avant qu'on me les vole. Mais tout ce qui me venait c'était de la crainte, des gestes de lui qui me faisaient peur, je disais au revoir à l'autorité, alors une chose en moi s'en réjouissait et une autre me montrait d'un doigt accusateur. Pour faire taire ce sentiment, je ne pensais plus qu'à l'odeur de pâté qui me filait une nausée salvatrice.

Nonno conduisait sa propre voiture. Il collait au corbillard, comme s'il avait peur de se faire semer. Nonno portait du noir. Il était beau et glacé. Je voyais bien qu'il ne pouvait croiser mon regard sous peine de s'effondrer. Et je ne sais toujours pas aujourd'hui s'il avait de la peine pour moi ou s'il m'en voulait de n'être qu'une moitié de son fils.

Plusieurs personnes parlèrent de mon père. Des amis, des femmes, des gens qu'il ne me semblait pas connaître. On me tapota la tête, on m'embrassa, on me fit les recommandations stupides d'usage.

— C'est toi maintenant l'homme de la maison, Sandro. Tu dois prendre soin de ta mère.

Des hommes en noir firent descendre mon père dans une boîte en bois avec des cordes blanches. Maman avait pris une voix d'adulte. Elle, qui ne parlait que haut perché, a tout posé sur les graves pour signifier son chagrin mais ses larmes, elle les a ravalées pour moi. Et sans doute parce qu'elle ne comprenait pas que c'était arrivé, que c'était vraiment son corps à lui dans ce cercueil qui semblait petit alors que l'homme qu'elle aimait était grand.

Après le bac, effrayés à l'idée que la vie nous sépare, Jacques, Louis et moi installâmes le rituel de notre dîner du mardi. Il se déplacera dans plusieurs lieux car nous aurons tantôt les moyens de nous payer mieux tantôt plus, puis certains fermeront, d'autres seront jugés moins bons et Jacques se tapera la femme du chef d'un petit italien dont la cuisine était délicieuse et épicée mais qui nous avait menacés d'une louche après avoir découvert notre ami la tripotant dans l'arrière-salle.

Je ne me souviens pas d'un dîner du mardi sans rires. Dans nos esprits, une gymnastique commune nous permet de nous comprendre vite et de nous contredire tout autant. Nous avons la même tournure d'esprit mais des idées différentes. Rien de mieux pour l'amitié. Louis et moi nous chamaillons sur la politique tandis que Jacques nous ramène à l'essentiel, un bon bordeaux, les nichons de la table d'à côté ou la sempiternelle question : où allons-nous boire un verre après ? Je connais si bien mes camarades que je pourrais commander leurs plats et prononcer leurs répliques à leur place. Loin de me lasser, cela me procure une joie rassurante, ils sont mon rivage. Jacques mange toujours en englobant son assiette d'un bras comme s'il lui fallait protéger sa nourriture. Il est généreux mais certaines choses trahissent ses privations d'enfance. Il a cette envie étrange qu'on le croie sorti d'un milieu aisé. Il se donne même l'arrogance des connards de bonne famille pour ne pas être démasqué. J'ai tenté d'aborder à plusieurs reprises l'idée que sa réussite aurait justement dû être un sujet de fierté, un succès plus grand encore que si la vie lui avait mâché le travail. Mais il n'en n'est pas question.

Jacques est un ami dont le mystère maintiendra mon intérêt en éveil. Louis n'aura jamais aucun secret pour moi mais sa mécanique intellectuelle n'a de cesse de me fasciner. Robot, mi-chrétien, mi-bouddhiste programmé pour souffrir avec le sourire.

Un mardi, l'hôpital de Port-Royal m'appelle à La Coupole, ma femme est en train d'accoucher. Nous y allons à pied tous les trois sans avoir eu le temps de toucher à nos assiettes, le cœur serré d'abandonner des langoustines.

Malgré le ventre gonflé de Bianca, les félicitations, les tricots ratés de ma mère, je réalise seulement ce qui m'arrive. Tout était abstrait jusque-là. Notre marche rapide me donne chaud, je me sens mal. Il fait froid pourtant, c'est le mois de février, Malraux vient de mourir et nous en parlons avant de sortir précipitamment. Nous avons une passion pour les oraisons funèbres et nous tentons toujours d'inventer ensemble le discours idéal. Une boule monte dans ma gorge, des nausées, je n'ose rien dire à mes camarades mais soudain je dois m'asseoir sur le trottoir sous peine de tomber, puis je m'allonge à même le sol.

— Je me sens mal.

Ils me diront plus tard que j'étais livide. L'hôpital n'est plus très loin, j'ai désormais deux bonnes raisons de m'y rendre. Chacun me prend un bras. Et nous marchons.

— Il va nous refaire le coup de l'ortolan, ne cesse de répéter Louis.

— Mais c'est quoi ça, l'ortolan? demande Jacques.

Et Louis rit sans s'arrêter.

— Oh! putain, l'ortolan est de retour!

On m'a allongé sur les banquettes de la salle d'attente. Jacques va me chercher un Coca-Cola.

Louis rit encore :

— Tu te souviens?

Évidemment que je m'en souvenais. Quel âge avions-nous alors?

Les parents de Louis m'avaient invité à passer l'été chez eux, dans les Landes. Ils promirent à maman de nous trouver des petits boulots afin que nous gagnions un peu d'argent et ne passions pas nos journées à ne rien faire. Je n'ai jamais compris cet acharnement à vouloir occuper les jeunes gens en vacances. Y avait-il mieux que de ne rien faire, justement? Avant que la vie ne nous laisse plus le temps de réfléchir ni de regarder autour.

Nous logions dans la petite cabane d'amis en bois à quelques centaines de mètres de leur vieille maison de famille au toit bordeaux. Louis dormait tard car il passait les heures de nuit au lit, avec son professeur d'équitation. C'était un âge où Louis n'avait pas choisi définitivement les hommes, il se sentait subir une pulsion qu'il rêvait encore de réfréner, qu'il pensait dévastatrice pour son avenir. Aussi ne prononcions-nous pas les mots. Quand le professeur d'équitation arrivait tard le soir, je déclarais que j'étais fatigué et je montais me coucher. Louis buvait un dernier verre avec lui et j'entendais ses pas hésitants précéder les bottes du cavalier. Un matin, n'y tenant plus, je demandai à Louis s'il servait de monture ou si c'était l'inverse. Il ne le prit pas bien. Il me répondit : « Ce n'est pas si différent, tu sais. Il arrive qu'on se regarde dans les yeux. Ce n'est pas bestial, c'est simplement autre chose. Comme chaque être est une expérience d'amour unique. » Je me sentis très con, et vexé aussi, qu'il ne lui vienne jamais à l'esprit de me pousser à essayer.

La première partie du séjour se passa en promenades, dégustation de mets variés, marches et lectures. Puis le père de Louis nous annonça qu'il allait falloir nous retrousser les manches, ils avaient besoin d'aide pour les ortolans. Je ne savais pas de quoi il parlait, mais Louis m'expliqua qu'il s'agissait de capturer des petits oiseaux puis de les laisser enfermés dans la plus grande obscurité, ce qui les paniquait et les poussait à manger le plus possible. Une fois gavés de millet et de raisin, dodus à souhait, ils triplent presque de volume, alors on les noie brutalement dans l'armagnac. Ils sont ensuite plumés, rôtis. On les mange chauds, tout entiers, et l'armagnac explose en bouche sous leur chair grasse et onctueuse qu'on mâche jusqu'à l'épuisement des sens, ultime expérience gastronomique, comme un assaut amoureux délirant qui nous bouleverse tant qu'on sent l'odeur de l'autre sexe sur nos mains des semaines après.

Nous passâmes une semaine à noyer des piafs, j'en avais la nausée. Les ortolans sont

comme d'adorables moineaux que je rêvais
de remettre en liberté. Mais, comme tous
les hommes, je faisais ce qu'on me disait,
au nom d'une tradition douteuse mais qui
semblait mettre tout le monde d'accord : le
goût était incomparable. On élevait la gastro-
nomie comme dernier bastion de la moralité.
Le dernier jour avait lieu un grand dîner,
nous allions enfin déguster l'ortolan. Louis
chuchotait près de moi tandis que son oncle
levait son verre et discourait :

— Il faudra que tu mettes tout son corps
en entier dans ta bouche. Sa tête, tout, tu
verras, c'est comme un feu d'artifice d'armagnac dans la bouche, comme les chocolats
fourrés à la liqueur.

Puis, chacun mit une serviette sur sa tête.
Pour que Dieu ne regarde pas notre jouis-
sance. Que ça ne devienne pas un plaisir coupable. Soudain, on n'entendit plus que des
maxillaires broyer des os de petits oiseaux. Et
comme ça, à l'abri du regard du Tout-Puissant,
je m'évanouis sur mon ortolan. Ils mirent un
moment à s'en apercevoir, tout le monde étant
occupé à mâcher sous sa serviette. Quand ils

relevèrent la tête un à un, ils s'aperçurent que la mienne ne bougeait plus.

On me réveilla à l'armagnac.

Louis jeta un mouchoir sur sa tête et mima l'évanouissement à Jacques qui se marrait comme une grosse baleine.

— Je rêve de bouffer ça !

— On ira... Alexandre mangera du foie gras.

Ils rient comme des imbéciles, ma nausée s'éloigne à mesure que la réalité devient une idée mais l'infirmière appelle mon nom. Un instant après, je tiens dans mes bras ma fille, pas plus grande qu'un ortolan gavé.

La seule émotion qui monte en moi c'est la peur. Jacques et Louis ne sont pas encore pères. Et je n'ose pas leur dire que ce n'est pas merveilleux. Comme les ortolans, comme les traditions locales, c'est la légende orale qui maintient la paternité en vie. Si les gens savaient vraiment ce qu'il en est, l'espèce humaine serait éteinte depuis longtemps.

Ma femme tenait à ce qu'on donne des prénoms italiens à nos enfants. Je voulais leur éviter la schizophrénie que mon prénom avait provoquée dans ma vie. Aussi nous les appelâmes successivement Clara et Nicola. Deux prénoms que la traversée de la frontière ne transforme pas.

Clara, qui sera donc surnommée par mes amis l'ortolan, était une petite fille adorable. Brune, joueuse. Je voulus développer son espièglerie mais sa mère la brima. Elle en fera une petite fille sage et effrayée à la morale aiguisée. Assez vite, Clara m'ennuiera. Ses idées seront conventionnelles, ses princesses roses et ses rêves banals. Il me faudra du temps pour accepter l'idée que Clara me fait chier.

Nicola ce sera autre chose. Un être mou et égoïste. Proche du caractère de ma mère. Décidé à accomplir un destin au rabais. Choix d'ambition aisé. Pas grand-chose à lui dire. J'aurais préféré qu'il se drogue ou qu'il veuille faire du rock. Comme tous les enfants bien.

C'est sans doute le divorce qui accélérera ce processus de détachement de mes enfants. Leurs corps qui dormiront loin du mien dans un appartement que je ne pourrai pas atteindre à pied. Me dire que j'ai participé à leur création et que j'en suis responsable mais que je ne les posséderai jamais en rien. Que l'appartenance à une famille est un leurre. Une prison dont on fabrique seul les contours avant même de connaître son prénom et qui en cela seulement est indestructible. L'ortolan méritera son surnom, non parce qu'elle sera un oiseau joueur mais parce qu'elle passera sa vie dans le noir opaque des conventions.

Nous vivions à Paris, rue de Verneuil, au-dessus d'une librairie sombre. Notre appartement, au parquet grinçant et aux fenêtres d'époque, ressemblait à un palais italien miniature. C'est sûrement ce qui avait plu à papa. Maman en touchait les murs, elle ne parvenait pas à croire que cet endroit lui appartenait. Elle, la jeune provinciale dont la vie ressemblait à un conte de fées. Ce geste ne m'attendrira que des années plus tard. Sur le moment, il m'apparut ridicule. Ma chambre avait une fenêtre vert amande et ses murs étaient blancs, maman aimait y coller mes dessins. La cuisine était juste à côté, je sentais les odeurs des bons plats, et, me parvenaient, assourdies, les voix tardives de papa et maman, qui continuaient à boire du vin et à faire claquer leurs rires tard dans la nuit. Quand ils s'en allaient dormir, je rêvais déjà. Parfois, dans un demi-sommeil je sentais leurs souffles chauds m'embrasser, et papa relevait la couverture sur moi et en repliait le bout, en un mouvement précis et toujours identique. Un long couloir me séparait du salon et de leur immense chambre à coucher dont le plafond était orné d'une fresque représentant une multitude de fruits et de petits elfes nus. Notre salle de bains était grande, elle possédait deux vasques, un bidet et une baignoire. Maman y avait mis un placard avec ses robes.

J'allais à l'école toute proche. Un ancien couvent en brique rose, caché dans une impasse. Je n'ai jamais revu mon école, je ne parviens pas à retrouver l'entrée de ce chemin secret. Il me semble parfois que je l'ai rêvée pour oublier à quel point je l'avais détestée. Les leçons, les règles et l'autorité ont toujours eu pour moi un goût de bile. Je suis né adulte et j'espérais que la vie m'offrirait vite la carcasse qui siérait à mon esprit. Jamais le temps ne passait assez, rien n'était à hauteur d'enfant. Mon existence tout entière m'obligeait à me hisser sur la pointe des pieds. Et le temps s'étirait, la nuit semblait ne jamais arriver, les jours duraient des jours. Il y avait un nombre infini de minutes longues dans le passé. L'arbre qui griffait le ciel que contenait ma fenêtre de ses mille branches maigres suspendait mon temps d'enfant. Je l'observais des heures. Il était ma terreur familière. Ma dose de peur nécessaire et contrôlée. Ses racines encombrées semblaient vouloir exploser du sol, comme s'il avait pu s'enfuir à chaque instant. Comme si on pouvait s'échapper de ce qu'on est.

C'est de cet arbre, de ces moments épuisants d'ennui où les ressources de l'imaginaire sont notre unique moyen d'échapper au silence, qu'est née ma passion pour la lecture. Il ne s'agit pas des instants où on lit mais de ceux qui se passent quand on pose un livre, qu'on est seul, qu'on attend quelque chose en nous, comme une porte qui s'ouvre et qui nous amène à un autre nous, juste un peu différent. C'est ce que j'espère de chaque livre. Et c'est ce que je projette dans ma quête « du » livre aussi. Ce chemin initiatique qui m'aide à retrouver les minutes longues, l'enfance, le temps qui semble nous empêcher de grandir tandis qu'un jour il vous précipite, il vous bouscule vers la sortie.

Quand mon fils Nicola, à son tour, mettra maladroitement ses petites mains devant ses yeux écarquillés pour laisser passer la trouille, c'est à mon arbre que je penserai. Quand il soupirera d'ennui en lisant *Le Baron perché*. Quand je le giflerai pour ça. Qu'il me demandera des années après « mais enfin pourquoi ? ». Quand enfin Nicola aura trente-huit ans et que je lui expliquerai les raisons de cette baffe, il sera trop tard, il ne comprendra plus. Il aura usé toutes ses minutes à durée d'enfance. Moi je pense qu'il m'en restera.

Première surprise-partie chez Aline Duchanteuil. Fille d'un célèbre éditeur dont je n'ai jamais vu le visage sans un cigare vissé dans sa bouche en cul-de-poule, Aline était très au fait de la mode. Elle avait organisé une « surboum » comme on le faisait aux États-Unis. Maman avait cru bon de m'affubler d'un nœud papillon malgré mes supplications mais je parvins à l'arracher dans le grand hall de marbre de la rue de Varenne tandis que je suivais la domestique qui me menait vers la musique et mes « petits camarades ». Je ne me tenais pas droit, grande tige maladroite, les yeux toujours sur ses chaussures. Il y avait trop peu de monde pour cette grande salle. L'ambiance ne pouvait pas prendre. Les fenêtres immenses, les hauts plafonds, tout nous ramenait à notre condition d'enfants. Nous avions beau nous déguiser en grands, imiter leurs attitudes, nous étions juste des gosses avec un taux élevé d'hormones en ébullition. Des petits groupes de filles tentaient un pas de danse avant de glousser et les garçons entre eux buvaient du jus d'orange en quantité pour se donner une contenance.

Alors, arriva Maryse Chanteuil, la grande sœur. Elle portait une jupe bleue évasée et un justaucorps bleu ciel à col Claudine moulé sur sa poitrine. On pouvait voir clairement ses tétons pointer et les globes moelleux bougeaient à chacune de ses ondulations. Elle ne portait pas de soutien-gorge et semblait s'en réjouir autant que nous. Elle devait avoir seize ans et les garçons hypnotisés en oublièrent de boire leur jus. Elle dansait au milieu du salon, nous invectivait pour nous pousser à venir. Puis entre deux disques, elle nous demanda de nous asseoir en cercle. Maryse nous expliqua les règles du « Action et Vérité » tout en assenant que nous ne pourrions nous dérober une fois que nous aurions accepté de jouer. Je fus choisi le premier et « action » me parut plus raisonnable. J'imaginai qu'on me ferait courir dix fois autour de l'appartement ou marcher sur les mains. Mais les intentions de Maryse étaient fort différentes. Elle choisit la fille la plus moche du groupe, Bénédicte, une grosse à lunettes, et nous fûmes contraints de danser un slow « serrés ». Après quelques élans de protestation, il fallut s'exécuter. Nous y allâmes timides mais Maryse Chanteuil s'approcha et entreprit de nous coller un peu plus. C'est elle qui montrait comment il nous fallait danser. Quand elle leva les bras, je vis qu'elle transpirait et je ne sais pourquoi les deux taches de sueur qui fonçaient son haut bleu me firent bander. Le pantalon trop étroit que m'avait mis maman était sur le point de craquer. Il eût fallu que je cesse de tourner mais le slow continuait et tout le monde avait les yeux rivés sur moi. Je vis un garçon se pencher vers l'oreille d'un autre et le faire rire. Soudain plus personne ne regardait nos visages, ils avaient tous les yeux rivés sur la bosse dans mon pantalon et leurs index me désignaient.

J'avais insisté pour ne pas aller à l'école le lundi qui suivit la boum. Ma mère ne voulut rien entendre. Je suis rentré chez moi avant l'heure du goûter plein de bleus et secoué de sanglots. C'est un gros qui avait commencé : « Vous savez ce qu'on leur fait aux pervers en prison ? » Je n'avais pas eu le temps d'argumenter ou d'exprimer simplement mon absence totale de perversité. Le ton était monté et comme la peinture teinte l'eau en un instant, la cour s'était embrasée de mioches teigneux. J'avais vu les enfants qui me servaient d'amis me cracher dessus, me taper dans les couilles, chargés de haine. Leurs petits poings serrés, les yeux grands ouverts pétillant d'une animosité qu'ils avaient fabriquée pour justifier ce flux animal qui les submergeait et les poussait à renchérir les uns sur les autres. Coups de pied dans le ventre. Il bande moins, là ! Il est ridicule. Lui ? Ça n'a jamais été mon copain. Sale rital collabo, youpin. Tout se mêlait selon l'insulte préférée de leurs parents. Un surveillant siffla la fin de la curée. À l'infirmerie, on me renvoya à la maison. Sur le quai du métro, un type fumait et me soufflait dans la figure. Je m'étais presque évanoui. Ma mère rentra avec la nuit et me trouva prostré dans la cuisine.

Maman m'inscrivit dans un autre établissement. Elle me fit rencontrer le père Mauguin qui dirigeait l'école des jésuites sur les quais de Seine, tout près de la maison. J'avais très envie d'aller là-bas. Il me semblait évident que Dieu m'y avait appelé mais surtout leur cour de récréation était incroyable et leur terrain de foot me faisait très envie, malheureusement Nonno qui était anticlérical refusa de nous aider, les frais de scolarité étaient trop élevés et par un enchevêtrement de pistons, et déductions alambiquées, je fus domicilié chez Antoine, le meilleur ami de maman et scolarisé à Condorcet. Grande joie pour moi car mon périple métropolitain se rallongeait grandement, malheureusement en marchant jusqu'à la rue du Bac, la ligne 12 était directe mais il y avait plusieurs stations et chaque matin pendant les vingt minutes de trajet je pouvais trouver des visages étranges que je consignerais dans le carnet qui ne me quittait jamais. Et c'est ce chemin tortueux qui me fera rencontrer les deux amis qui accompagneront ma vie. Quand j'y pense aujourd'hui, je me demande encore si la main de Dieu est une chose si ridicule que cela et je suis souvent tenté de tendre la mienne vers lui. C'est d'ailleurs à ce moment que la Bible fit irruption dans ma vie par l'intermédiaire du père Mauguin. Ce gentil prêtre, directeur diocésain, avait l'intelligence de sa fonction et ne se posait aucune question. Sa foi était la réponse. Chaque difficulté était inversée et renvoyée à la responsabilité incompréhensible de Dieu.

— Pourquoi y a-t-il tant de gens tristes, père Mauguin ?

— La tristesse est un don que Dieu leur fait afin qu'ils trouvent en une foi pure et sincère le remède à leurs maux et puissent plus clairement se rapprocher de lui

J'appliquais donc, moi aussi, ce processus absurde à toutes les choses négatives de ma vie. Joie de la plénitude de la foi et de l'apaisement que cela me procurait soudain. Et les questions closes, sous des cadenas qui fermaient à double tour. Les sourires des femmes ne seraient plus que des traits sur un visage, sans signification, sans message à comprendre. Et leurs larmes, je n'en serais jamais responsable. Papa m'attendait en haut dans un endroit décrit dans un livre. Pourquoi chercher ailleurs ? Me débarrasser du corps. Lire, courir, des kilomètres, m'épuiser les jambes pour que ma bite ne soit plus qu'une chose pendante. Et la tordre quand malgré moi elle se dressait. Lorsque les traits sur les visages des filles redevenaient des fils qui me tiraient à elle, qui dressaient ma bouche à mon tour, et la queue de mon pauvre corps de marionnette que je tentais de clouer sur une croix. Ce que j'aimais dans l'idée de chercher Dieu c'est que j'étais sûr de le trouver car il se cachait seulement dans la quête, dans la démarche intérieure, dans l'envie qu'il soit. La quête est plus importante que son but, peut-on faire doctrine plus rassurante ? Ma mère accueillit avec surprise ma demande de me rendre à la messe chaque dimanche. Elle n'avait aucun amour pour la religion. Elle en avait même peur. Maman m'avait mis au monde pour que j'existe. Elle était le vent qui gonflait mes voiles de bateau. Je sais aujourd'hui que mes voiles manquaient d'envergure mais je n'ai pas à lui reprocher de m'avoir arrimé à son monde. Elle l'a toujours trouvé trop étroit pour moi. Et cette femme curieuse de tout, avide de vie, voulait que je plonge dedans. Que je me saoule, que je baise, que je coure sous la pluie, que je connaisse les blessures d'amour et ses pics de joie. Elle m'accompagna à l'église pour me faire plaisir et vit avec quelle ferveur je célébrais ce qui était à ses yeux un renoncement. Cela l'effraya. Maman prit cette vocation de prêtre comme un suicide, et pour la seule fois de sa vie, exigea sans retenue l'aide de Nonno.

À l'été 58, ma mère me déposa devant les grilles de la maison de Porto Ercole dont elle ne pouvait se résoudre à franchir la porte, comme si papa y était encore vivant avec une autre femme, une maîtresse au teint pâle. Nonno se déplaça pour l'embrasser et n'insista pas lourdement pour qu'elle entre. Maman avait un train à prendre. Ils se regardèrent d'un air entendu et s'embrassèrent maladroitement. Elle me laissa comme on abandonne un malade en cure, à la grâce d'un Dieu auquel elle ne voulait plus que je croie. J'étais arrivé à la mi-juin, au milieu de la sixième Coupe du monde de football. C'était la mi-temps du match. Elle se déroulait en Suède. Nonno était l'un des rares à posséder une télévision au village. Il en était fier mais peu s'en souciaient car pour une fois, l'Italie n'avait pas été qualifiée. On disait donc que c'était un truc de vendus, de blonds aux yeux bleus qui s'y connaissaient autant en football qu'en pizza.

— Alors comme ça tu veux être prêtre ?

Isabella, l'intendante de Nonno, m'avait gratifié d'un sourire et apporté de la glace au chocolat et des biscuits à la pistache. Le glacier passait devant la maison et dès que la clochette retentissait, Isabelle envoyait la femme de ménage qui courait pour la rapporter avant qu'elle ne fonde puis la lui tendait afin qu'elle ait le privilège de me l'offrir. Dans la villa, chacun avait un rôle défini et Nonno veillait hargneusement sur cette hiérarchie qui, plus elle comptait d'échelons, plus elle le hissait sur un haut sommet. J'avais parlé au personnel et tous semblaient se réjouir à l'annonce de ma foi et de mon envie pressante d'intégrer une école de jésuites. Au pays du Pape, on se félicitait de cette vocation. Mon grand-père s'énerva très fort quand il sut que ses employés s'extasiaient devant son petit-fils futur évêque selon eux. Nonno ne comptait pas laisser s'éteindre sa race, j'étais son seul successeur et il tenait à faire de moi le futur dirigeant de la société familiale et un fornicateur comme il se doit pour un homme italien et riche de surcroît.

Le soir, il me raconta ses histoires de femmes, sans pudeur. Je ne comprenais pas tout mais Nonno en parlait comme de steaks saignants. L'une et ses gros seins, l'autre blonde incendiaire, une amie de ma grand-mère, puis sa fille. Il me donna des détails graveleux et m'offrit même un fond de verre d'eau-de-vie pour me dévergonder, mais je n'avais rien à raconter. Des échanges de billes dans la cour avec une fille qui m'avait montré son premier soutien-gorge derrière un arbre et cette boum honteuse, voilà mes seules histoires de filles.

Je m'endormis dans l'ancienne chambre de papa.

Le lendemain, Nonno m'emmena faire du bateau et nous croisâmes Sandra et sa famille. Mon grand-père lui proposa de venir avec nous mais elle déclina. Elle était avec une amie et me battit froid. À bord, Nonno me dit : « Un jour tu la baiseras Sandra, et elle fera moins sa maligne, tu comprends. »

Il grommelait ça avec colère, comme si faire l'amour à une femme c'était se venger, la souiller.

Le soir mon grand-père partit « pour affaires » avec un clin d'œil et me recommanda de me coucher tôt car une grosse journée m'attendait le lendemain.

Nonno partageait son temps entre Porto Ercole, Rome et Milan où il avait l'essentiel de ses bureaux, de ses maîtresses et où il traitait ses affaires. Mais les usines et les vignes où étaient fabriqués ses alcools et son huile, *Notre sang,* comme il disait, étaient réparties entre la Toscane et les collines de Trévise près de Venise où l'on fabriquait le prosecco, cette sorte de champagne italien, moins profond mais plus festif et sucré, que les femmes boivent avec plaisir. Les riches italiens ont des fiefs mais rien n'est concentré en un lieu et si l'on veut tout vivre alors il faut s'étaler dans ce pays comme un vainqueur de Monopoly.

La journée commença à six heures, horaire auquel mon grand-père prenait invariablement son petit déjeuner constitué de deux

œufs à la coque, de deux tranches de jambon de Parme, d'un grand verre de pample-
mousse pressé et d'un thé de Ceylan. On
me servit la même chose. Et je ne fis pas de
réclamation. Un costume trois-pièces quasiment identique à celui de Nonno m'attendait à mon réveil. Une fois habillé, je plaquai
mes cheveux en arrière comme ceux de mon
grand-père sans qu'on me le demandât mais
parce qu'il me sembla alors que c'était ce
qu'on attendait de moi. Il me regarda d'ailleurs avec délectation en cassant le haut de
la coquille de son œuf d'un coup de couteau
sûr. Puis il en sortit le blanc et enfonça déli-
catement sa cuillère. On eût dit un chirurgien
sur le point de faire naître un poussin. Je me
souviens de son regard. Tout voulait dire « à
toi maintenant. Fais comme moi ». Alors je
m'assis et je cassai mon œuf à la cuillère en
retirant tous les petits morceaux de coquille
brisés un à un, ce qui le fit sourire avec affection. J'avais encore beaucoup à apprendre.
Il continua ce qu'il s'imaginait être une formation. Il s'emparait de moi comme un bien
qui allait lui revenir tôt ou tard. La journée il
me montra des vignes et des cuves puis il me

fit humer des cépages et des vins. J'analysais les choses comme Monsieur Pierre me l'avait appris et mon grand-père crut en mon génie. Il lui apparaissait clairement que je reprendrais les affaires familiales. Il me saoula de mots techniques, des visages de ses employés. Il voulait que je voie tout. Épuisé par ma journée, je supposai ensuite que nous rentrerions et qu'il me laisserait être un enfant. Tout à ma dévotion je m'imaginais que tout cela était une épreuve envoyée par Dieu mais je n'avais pas mesuré qu'elle commençait seulement. Mon grand-père faisait friser ses moustaches de joie entre ses doigts, l'autre main sur le volant. Il se gara devant un bel hôtel. Nous entrâmes. On tendit une clé à mon grand-père puis il m'indiqua les escaliers. Chambre 13, Sandro. À demain matin. Il était prévu que je sois dépucelé en italien par une Russe. Ornella. Ça ne devait pas être son vrai prénom. Une bouche usée de rouge. Des cheveux longs noirs, dont le bout s'effilochait. Comme une poupée qui a trop servi. Elle ressemblait à celle que Sandra posait dans la bibliothèque de sa chambre près de ses chaussons de danse trop petits.

Et c'est ce qui m'a filé une érection. Ornella s'est agenouillée et m'a pris dans sa bouche. Et l'humidité, Dieu que c'était désagréable et délicieux. Comme je voulais pousser sa tête et qu'elle m'avale à la fois. Une envie profonde de la tabasser. Et de lui cracher dessus quand elle m'a regardé dans les yeux comme pour me dire, je sais. Vous êtes des machines identiques dont je connais le mode d'emploi. Alors je me suis mis à pleurer de n'être qu'un être parmi d'autres. De ne pas être capable d'aimer Dieu assez pour ne pas aimer les femmes. Parce que Ornella était toutes les femmes à la fois et moi soudain et à jamais, je n'étais plus qu'un homme. Je n'étais ni élu, ni à part. Je n'étais rien. J'ai éjaculé en chialant.

Elle s'est relevée et a séché mes larmes.

— Malchik...

Elle me prit dans ses bras. Je sus plus tard que ce surnom russe voulait dire petit garçon.

— Malchik... Tu n'es obligé de rien.

— Vous non plus. Et pourtant, vous...

— J'ai une fille de ton âge. À nourrir.

Alors Ornella a ouvert la porte, sifflé dis-crètement une de ses amies, et nous avons commandé des spaghettis à l'ail. Il est pos-sible que Dieu m'ait quitté à la seconde où cette dame a pris mon sexe de jeune homme dans les mains. La sexualité m'a éloigné de Dieu. Nonno le savait, et il était allé à l'essen-tiel. J'avais perdu ma foi et trouvé ma reli-gion.

Sous un napperon, il y avait une télévision. Ornella venait ici avec Nonno plusieurs fois dans le mois, m'avait-elle dit avec le sourire :

— Et avec le temps, on regarde plus la télévision qu'on ne batifole. Il aime parler russe. Il ne parlait russe qu'avec ton père, tu sais. Il me dit que si je ne lui parle pas, alors ce sera mort en lui.

Je me souviens que les pâtes *al dente* piquaient comme il fallait.

Au petit matin, j'étais encore puceau mais Nonno n'en savait rien, la France avait battu l'Allemagne 6 buts à 3 et Just Fontaine était mon idole.

Deux œufs à la coque. Deux tranches de jambon de Parme. Un grand verre de pam-plemousse pressé. Du thé de Ceylan. Nous étions assis devant la mer. Nonno en regardait l'horizon avec fierté et je n'y voyais que mon père se noyer sans cesse. Boire la tasse. Faire un signe. Une crampe qui l'attire vers le fond. Une main tendue. Et mon grand-père qui nageait tout droit sans penser qu'une vie heureuse consistait parfois en un retard, un simple regard en arrière.

Dans sa décapotable, Giuseppe Brastini d'Alba chantait « Volare ». C'était l'année où cette affreuse chanson représentait l'Italie à l'Eurovision. Il lâchait le volant pour accompagner son interprétation de gestes et me regardait avec des yeux de merlan frit. Partage graveleux en chanson, airs entendus. Je n'avais que treize ans mais c'était suffisant pour me dire que ce n'était qu'un connard, un primate. Sûrement avais-je raison mais si j'avais choisi ses certitudes et ses buts à ce moment où l'on dessine les contours d'une vie qu'on aura juste à colorier, j'aurais sans doute été plus heureux. Il aurait ouvert les robinets du fric et j'aurais écouté ses conseils, baisé des catins et repris « l'affaire ». Mais comme mon père, ou du moins l'imaginais-je, j'avais choisi de quitter l'emprise de Nonno une première fois. En moi, je me promettais de ne pas lire la vie avec son alphabet, d'y mettre des nuances, des accents et des virgules. Il me souriait, persuadé du contraire, certain de sa toute-puissance. Chantant.

« Volare », depuis, a été reprise des centaines de fois et je ne peux pas supporter ce putain d'air.

Je fus renvoyé « sauvé » chez ma mère avec un professeur chargé de me donner des cours d'italien aux frais de Nonno qui trouvait que je le perdais. Comme l'image de papa qui semblait nager toujours plus loin de moi. J'aurais préféré des leçons de natation. Je n'avais toujours pas appris à nager le crawl.

L'irruption de Laure dans mes pensées n'est pas chose agréable, pourtant c'est délicieux. Tout tremble dans les lignes droites tracées par mes soins un peu à l'avance afin de ne pas me perdre sur le chemin de mon avenir. Il semble que ce chemin-là fasse des boucles, que je tombe comme un funambule ivre. Je peux tenter de me rattraper d'une main, rien n'y fait, une faille s'ouvre sous mes pieds et elle me paraît enfin à ma taille, ce n'est pas un trou, c'est un vide dans lequel il fait bon tomber, et tomber encore.

Je n'admets pas dans l'immédiat qu'il se soit passé quelque chose de réel dans mon cœur. Je le sais pertinemment mais je déplace cela vers un désir, un intérêt, une forte sensation d'amitié, presque une envie qu'elle

soit ma sœur. Et un besoin de m'en assurer. Laure travaille dans une galerie d'art.
Son futur mari, fier de la dernière exposition
qu'elle y avait montée, en avait parlé avec
force détails. Aussi m'avait-il bêtement offert
le moyen de la revoir. Un être que je connais
mal en moi décide à ma place. Deux jours
après notre dîner, j'entre dans la galerie sans
bouquet de fleurs.

— Bonjour.

Bousculée par ce moment qu'elle imaginait et qui débarque soudain dans sa vie.
Comme un élément qui vient trop éclaircir
le gris du ciel et nous dire que nous sommes
dans un rêve et qu'il faut nous réveiller, que
le train de l'ennui déraille.

Quand le désir puissant s'incarne, l'affronter est une promesse de malheur. Laure
tente de masquer l'émotion sur son visage.

— Nous ne vendons pas de vieux livres
ici, monsieur, parvient-elle à dire d'une
petite voix.

— Je t'invite à déjeuner.

Laure trébuche sur son sourire, il est
presque un éclat de chagrin.

Elle n'hésite pas.

— Regarde cette toile dix minutes, tu vas l'aimer… Dix minutes, et je suis à toi.

La peinture représente un homme qui court derrière une ombre qui semble être la sienne. Laure a déjà tout compris de moi. Pourtant, elle ne me demande pas de m'en aller, elle va mettre son long manteau noir, du rouge sur ses lèvres, et nous sortons de la galerie.

Il n'y a pas de moment de gêne, ou si, sans doute, des silences, des visages baissés, mais c'est délicieux donc ça ne l'est pas vraiment.

Elle déclare qu'elle n'a pas faim lorsqu'il s'agit de prendre la commande. Je choisis une bonne bouteille de vin et quelques petites choses à grignoter. Nous ne parvenons pas à avaler quoi que ce soit. Nos estomacs sont noués à la perspective que ce sentiment-là appelle des changements de nos vies que nous sommes l'un comme l'autre incapables de faire.

— Tu as déjà choisi ta robe de mariée ?

— Oui. Tu veux la voir ?

— Ça porte malheur, non?

— Oui, justement.

Silence. Elle me dit qu'elle m'aime. C'est ça? Elle me demande de la sauver de ce mariage. Je ne rêve pas. Je n'ose comprendre, ou plutôt je n'en ai pas le courage. Ou pas la lâcheté. Le silence se prolonge.

— Tu me souhaites un mariage heureux?

— Je ne te veux que du bien.

— C'est pour ça que tu es là? Pour mon bien?

— Je voudrais voir ce que tu sculptes. Tu me montreras?

— Si tu veux.

— Quand?

— Mon atelier est un peu loin de Paris. Il faut prendre un train.

— Quel train?

— Tu poses des questions comme un enfant.

Le trouble est épais. L'adolescence apaisée des amours tardives, regards qui traînent, mains qui tentent de ne pas se toucher trop tôt, trop vite. Mais alors rentrer, dire les choses à Bianca, choisir un appartement, se disputer, la voir malade ? Non. Si le reste de ma vie devenait moche, soudain Laure aussi serait contaminée de vérité.

Je veux ça. Je veux ça toujours, ce temps suspendu. Je n'ai pas envie qu'on m'enlève cette cache d'espoir que je découvre. Je sais trop comme un jour après l'autre salit les sentiments. Une chose en moi me tire vers une raison permanente. Les amours naissantes ont cette chose magique, certes, c'est peut-être le début des possibles qui me charme plus qu'elle ? Le duplicata de cette émotion que je commence à connaître ne m'habitue pourtant pas à la relativiser. Et je n'en ai pas envie, Laure est spéciale, et elle le restera. Cependant, pour la première fois, je me sens assez fort, assez mature pour la maintenir. Garder cela comme un trésor ; le premier billet de banque que l'on possède enfant et qu'on n'ose pas dépenser malgré l'envie du chocolat dans la vitrine. Il ne nous restera que des pièces. Oh ! ça non ! On se retient. La retenue, voilà une chose délicieuse à faire quand on est devenu un homme.

Notre histoire semble ne pouvoir appartenir qu'à nous, elle a pour vocation de flotter. Alors, je me promets de ne pas la vivre, et je raccompagne Laure sans un baiser, le cœur plus tapageur encore que si je lui en avais donné mille. Je touche de près l'ivresse de la privation. Chose que je n'avais encore jamais essayée. Et cette émotion-là, je ne peux pas savoir qu'elle va tuer Laure, l'abîmer, voler une partie entière de sa réalité, l'empêcher de vivre pleinement. Je ne veux pas le voir. J'impose égoïstement, à cet instant, ma façon de l'aimer, dont les contours se dessinent comme un projet mortifère dans la tête d'un tueur prêt à encercler sa proie des années, à réfléchir à son forfait, à lui tourner autour tel un vautour. Un projet d'exécution joyeuse, puisque je l'aime, j'ai le droit de la garder prisonnière de mon amour. Bien sûr, rien de tout cela ne s'articule clairement ce jour-là, mais la graine est là et germe. Laure sans le savoir m'enfante d'absolu. Je ne veux plus perdre l'amour. Si j'avais refusé de faire la course avec papa, nous en aurions été tous les deux les éternels gagnants.

Les promesses

Je la raccompagne à la galerie, sans un baiser. Je tente de lui faire croire que c'est elle qui me le refuse, la situation et non pas ma décision. La pluie se charge de nous séparer et fait office des larmes qu'il eût été ridicule qu'elle s'autorise à laisser couler.

Il fut entendu que je passerais l'été à Rome puis à Porto Ercole chez Nonno. Maman avait cessé de l'appeler comme ça pour signifier qu'elle ne lui portait pas d'affection et comme je n'étais plus un petit garçon, j'étais en droit de le savoir. Tu passeras l'été chez Giuseppe, disait-elle, ou chez ton grand-père paternel, comme s'il fût besoin de le préciser ; l'autre était mort. Mais tout ce qui marquait leur distance était bon à signaler.

De mon côté j'appelais maman par son prénom, je voulais marquer mon âge que je croyais important, et elle se flattait bêtement d'être traitée en amie désormais. Elle n'avait jamais eu d'autorité. Je m'employais à faire le contraire de ce qu'elle me demandait. Un adolescent original, en somme. Elle m'avait proposé un camp de vacances, j'avais opté pour l'été chez Nonno. Je lui répétais sans cesse que je voulais passer du temps dans la maison de famille et l'expression signifiait bien qu'elle n'en faisait pas partie. J'atteignais l'âge où il faut blesser sa mère pour s'en affranchir et je m'y appliquais cruellement.

L'été chez Nonno alors... Et peut-être si je m'y plaisais, pourrais-je passer mon baccalauréat dans le pays de mon père ? Maman le suggérait des larmes dans les yeux, et ça m'attirait encore plus. Nos relations étaient si tendues. Je le regrette aujourd'hui. Je la trouvais belle, sympathique et gentille, alors j'étais méchant parce que je devais grandir et quelque chose dans sa délicatesse semblait m'en empêcher. Malgré moi, je me mettais en colère. Je ne voulais plus être l'homme de la maison. Je ressemblais tant à mon père. Trop peut-être. Je savais qu'un jour ce serait une douleur pour elle. Qu'elle aurait face à elle celui qu'elle avait perdu et qu'elle aimait d'un amour qui la troublerait, qui nous horrifierait. La fuir était la solution. La fuir ou la malmener. Je me mis à parler en italien, les copains m'appelaient le rital et je devins un fervent supporter de l'équipe du Milan AC, la ville de mon grand-père.

Il y a dans le football une chose magique : la capacité pour un homme à se rappeler toutes les actions qui précèdent le tir, et le but en soi, la trajectoire précise du ballon, le plongeon du gardien, la certitude de l'avant-centre un instant avant la transformation du mouvement de son pied en un cri, une exultation, un aboutissement partagé par une foule. Après le match, on va au café avec des amis, on raconte, on vit à nouveau le moment de la victoire. Le coït général. On ne peut se souvenir d'une étreinte réussie. On ne peut fixer le souvenir des gestes, les odeurs, la peau, les instants qui arrivent avant l'orgasme. Encore moins l'orgasme en soi.

L'amour physique a ceci de prodigieux que son souvenir nous sème. On peut se dire je l'avais sodomisée, elle sentait bon, elle avait des jambes potelées, je bandais dur. Mais le souvenir des rythmes, des gestes, des mouvements de l'ordre dans lequel les choses se passent ? Ça s'enfuit. C'est pour cela que l'on cherche sans cesse, qu'on en veut encore. On fixe mieux le souvenir d'un vin que celui d'une étreinte. Et ce n'est donc pas l'ennui ni la répétition du cycle amoureux, des mêmes gestes ni le frôlement du même grain de peau qui fait qu'on cherche ailleurs, qu'on désire d'autres corps. Non, c'est l'espoir que cette fois-ci le flou n'inondera pas tout. C'est l'espoir que cette peau-là, cette autre chair laissera une empreinte sur la nôtre, qu'on se souviendra de ce que c'est qu'aimer.

De ma première fois, je me souviens d'odeurs, du goût dans sa bouche, du temps court qui se suspend pourtant. De la chaleur dégoûtante de cette nuit de juin 1962. Pas de son prénom. C'était la grande sœur de Maxime. Elle avait une tête allongée et des cheveux filasse d'un blond douteux.

Tous les amis se retrouvaient chez Maxime parce qu'il avait une télévision, des placards pleins de biscuits, et une sœur plutôt moche mais entreprenante. Nous disions que nous allions chez « Maxim's » en clin d'œil au restaurant parisien chic et hors de prix.

Il lui avait suffi d'un mouvement de la tête pour que je la suive. Elle m'avait proposé de fumer avec elle au balcon. J'avais dit d'accord, on crapotait. Je m'étouffais presque et j'avalais ma bière comme si elle ne me piquait pas la gorge.

Leurs parents bossaient la nuit. Nous avions pris l'habitude de nous retrouver chez Maxime quelques heures après les cours.

— Tu parles italien ?

— Mon père était italien.

— Il est mort ?

— Oui.

Elle m'avait attiré à elle, pour me consoler d'une chose qui ne me rendait pas triste. Je n'avais pas reçu de conseils de mon père, aussi je me disais que j'avais le droit d'utiliser sa mort pour draguer.

Parfum vanille, bon marché, aisselles humides. Chemisier trop petit, manches courtes.

— T'as déjà embrassé une fille ?

— Bien sûr. Plein.

— Plein ?

Haussement d'épaules.

— Comme qui ?

— Des Italiennes. Tu connais pas.

— C'est sexy les Italiens. Tu veux bien me parler italien ? Je trouve ça attirant.

— Non, j'ai pas trop envie. Tu veux que je te dise quoi de toute façon ?

— À chaque mot en italien, j'enlève un vêtement.

C'était l'été, je parlais couramment. Il lui fallut quelques instants pour être nue. Je pensai à papa. S'il pouvait voir quelque chose de là-haut, il devait se marrer. De la langue des hommes, sans les mains, je déshabillais une fille.

Un cul large. Pas de gros seins mais des petites poires fermes. J'étais content de les attraper à pleines mains. Je n'en n'avais jamais touché depuis la pute italienne, vaguement frôlé sous de gros chandails. Sous mes paumes exaucées, leur texture molle avait rendu mon sexe dur. Je l'ai pénétrée. Je me souviens de ce que je me suis dit de la sensation, plus que de la sensation elle-même. C'est mouillé. C'est chaud. C'est comme un genre d'animal. Je suis allé et venu, un peu fort, un peu mal. Elle gémissait. Je n'aimais pas son odeur mais ça faisait gonfler ma bite. Tout ce qui me dégoûtait n'entravait pas le désir, au contraire. Alors j'accélérais, je pliais son visage sur le côté pour pousser plus fort en elle. Et si je ne pouvais plus en sortir ? J'ai joui.

Ils ont hurlé dans le salon. Je me suis précipité à moitié à poil. Le Brésil venait de gagner la Coupe du monde en noir et blanc. Nous avions crié de joie, bu des bières. Nous étions tellement ancrés dans nos quotidiens respectifs que les longues séparations étaient toujours appréhendées. Sans que ce soit dit, nous redoutions le moment où il allait falloir se séparer. Louis partait comme toujours en famille dans le Gers et Jacques avait décroché un job de moniteur dans une colonie de vacances bien décidé à tripoter des filles de quatorze ans. Nous nous dîmes au revoir au petit matin sans que j'aie recroisé le regard de la sœur de Maxime. Je sentais le sien qui dégoulinait d'amour et ça me filait des boutons. L'été nous sépara le lendemain, lui offrant le drame dont elle avait besoin pour s'épanouir, comme toute jeune fille, dans les larmes estivales.

des règles floues que nous fixions peu à peu, et que nous écrivions en sourires et joues rouges.

Je mis un moment à parler de mes sentiments pour elle à Jacques et Louis. Je le fis le mardi qui précédait le mariage de Laure. Mes femmes et celles de Jacques s'entendaient toutes pour ne pas s'entendre. C'était un accord tacite entre elles, afin que notre amitié ne prenne pas toute la place dans nos vies. Les mecs de Louis ne faisaient que passer et ceux qui sympathisaient avec nos conjointes dans l'espoir de rester ne faisaient qu'accélérer leur arrêt de mort. Notre entité ne fonctionnait qu'en circuit fermé. Nous nous agacions en présence d'autres gens et jalousions les complicités extérieures. Je pensais qu'ils se moqueraient de moi pour mieux évincer Laure, je me trompais : ils en furent émus. Jacques mesurait l'ampleur de la catastrophe car il était convié à la cérémonie quelques jours plus tard. Louis dont le handicap était sa capacité à exprimer des émotions fit une métaphore que je ne compris pas :

— Sache, Sandro, que les satellites, ils ne flottent pas comme on croit, ils tombent, ils ne cessent de tomber.

— Qu'est-ce que tu essaies de lui dire avec tes conneries ?

— Eh bien, soit il laisse faire et ça tombera doucement, soit il faut la rattraper avant qu'il ne soit trop tard.

— Bien, dis-le ! Moi aussi je pense ça. Demain tu vas à la galerie avec des fleurs, des ciseaux pour qu'elle coupe sa robe en minijupe et vous vous barrez à l'autre bout du monde.

— Et Bianca ?

Jacques fait un geste d'exaspération, il en est à son cinquième mariage et ne s'embarrasse pas de mes considérations.

— Et les enfants ?

Louis est sensible à l'argument tandis que Jacques, qui comprend que la nuit va être longue, commande une autre bouteille.

— C'est peut-être juste la crise de la quarantaine ? C'est vrai qu'elle est jolie mais... Tu es certain de l'aimer, cette fille ?

— Enfin, c'est la première fois qu'il nous parle d'amour ! Arrête avec la crise de la quarantaine.

— Sa vie entière est une crise de la quarantaine, pour lui c'est normal.

— On est là pour se foutre de sa gueule ou pour parler de sa nana ?

— Laure, elle s'appelle Laure.

— Tu as vu comment il prononce son prénom ? Il le répète deux fois ! Évidemment qu'il en est amoureux. Tu veux que je me renseigne auprès de ma chérie pour en savoir plus sur elle ? Quand je pense que tu es tombé amoureux sous nos yeux et qu'on n'a rien vu.

— Moi j'ai vu, répliqua Louis.

— Et tu ne m'en as pas parlé ?

— Il est marié. Je me suis dit qu'il allait planquer ça quelque part et continuer à vivre. Donc j'ai rien dit, non !

— Mais le mariage ce n'est pas une obligation.

— C'est une promesse, quand même.

— Exactement ! Quand tu ne peux plus la tenir, il vaut mieux t'en aller.

— Mais, je peux la tenir.

— Alors quoi Alexandre ? Tu préfères réussir ton couple ou réussir ta vie ?

Le lendemain je me réveille tard car nous avons bu jusqu'au petit matin. Bianca hurle que ces mardis adolescents devront bien cesser. Elle le sait depuis les premiers jours, mais la vie change, nos responsabilités aussi et il est grand temps que je me réveille. Elle me parle comme une mère à son enfant et sans le vouloir rend mon élan envers Laure digne d'une lubie adolescente. Je traîne dans la maison après son départ, ou plutôt je tourne en rond dans le salon et me gave de tout ce que je trouve dans la cuisine pour éponger l'alcool qui suinte par tous mes pores ; incapable de gagner même mon bureau au bout de l'appartement. À quinze heures, Jacques sonne à la porte. Il m'avoue qu'il espère trouver ma femme en pleurs et se dire que je vis enfin ma vie, au lieu de cela, il me force à m'habiller et veut me conduire jusqu'à la galerie. Un appel retentit avant que je ne franchisse la porte. J'ai un rendez-vous professionnel important à deux heures de Paris. Je suis plus qu'en retard. Je dis à Jacques que j'avais besoin de rouler et de réfléchir. Je ne suis pas sûr d'aller voir Laure. J'ignore si elle s'attend à ce que je le fasse.

Je suis descendu du train en costume. Je m'étais peigné dans les toilettes. Nonno m'attendait au bout du quai avec son chauffeur. Il me serra la main et me tapota la tête. J'étais donc devenu un homme puisqu'il ne m'embrassait pas.

— Je t'avais pourtant bien dit que nous n'aurions pas le temps d'aller nous changer !

Je ne compris pas immédiatement que ce que j'avais de plus beau, ressemblait à un chiffon aux yeux de Nonno.

— C'est une veste de papa, dis-je en espérant créer une émotion chez le vieil homme et pour excuser maman aussi, sans doute.

— C'est ce que je dis, c'est démodé.

Les morts sont démodés, c'est vrai. On les enterre avec des costumes qui deviennent ringards avant même que les vers aient fini leur travail. Et je me retins de lui demander si nous ne devrions pas courir chez Armani, prendre un truc élégant et déterrer ce qui restait de papa pour lui flanquer un costard à la mode.

Le chauffeur prit ma valise et partit à pied en direction de la maison, tandis que nous roulâmes directement vers la soirée. Il n'était pourtant que dix-huit heures.

— Tu te tiens Sandro, me dit-il en français pour être sûr que je comprenne bien.

— Si tu as honte de moi Nonno, on peut aller à la pizzeria. Je m'en fiche un peu de ce bal.

— Mais qu'est-ce que tu racontes ?

— Je suis venu pour te voir.

Nonno m'expliqua, essoufflé par la course que je ne menais pas, à quel point ce bal était plus qu'un bal, qu'il ne s'agissait pas de danser mais de ne pas passer la vie sans cavalière. De ne pas rester seul sur un banc à n'inviter personne à valser. De ne pas faire partie des perdants. « *Loosers, Perdente,* tu comprends, Sandro ? »

J'attendais depuis un moment de lui faire la surprise de parler russe. J'avais choisi cette seconde langue au lycée, d'abord parce que je me sentais communiste, ensuite pour faire plaisir à Nonno, deux raisons à l'extrême opposé mais qui me motivèrent et firent de moi un des meilleurs de la classe. Nonno s'énerva de plus belle. Il ne voulait pas d'un petit-fils marxiste ! À l'époque où mon père avait appris le russe, c'étaient encore des gens bien, me dit-il. J'abandonnai l'idée de lui faire part de mes opinions, de peur de me fâcher avec lui à jamais. J'étais communiste certes mais avec l'envie de redistribuer une partie de mon héritage, pas de l'abandonner.

Nous arrivâmes devant les grilles. À peine avait-il ralenti et freiné sèchement devant le voiturier qu'il réajusta ma cravate en soupirant. Puis il abandonna, j'étais à repeindre des pieds à la tête, il confia la place du conducteur de son Alfa Romeo décapotable à un type auquel il n'a adressé ni sourire ni regard parce qu'il n'était pas de sa race. « Perdente », murmura-t-il à mon intention en le désignant du menton et le mot devait peser lourd sur les épaules du jeune homme puis il m'expliqua en une phrase que j'étais beau et même que j'avais son charme et que ça me sauvait, un peu. Mais je compris en descendant de la voiture avec le vinyle de Chubby Checker dans un sac plastique que je le décevais, pire même, qu'il avait honte de moi. Et soudain j'étais maman sur le pont du bateau, un été trop chaud : un être pas à sa place. J'entendis « The Twist » en descendant les marches vers lesquelles on me menait. Les adultes buvaient un verre sur la terrasse pendant que nous les jeunes nous trémoussions en bas. La mère de la jeune fille qui recevait m'accompagna et me présenta à elle. Je voulais balancer mon sac, ne pas offrir le disque qui passait au même moment et dont les jeunes reprenaient le refrain en chœur. Je lui tendis le sac comme un abruti, un disque, quelle gêne, elle possédait sans doute tous les 33 tours du monde !

Elle était insolemment belle, se prénommait Magdalena et tellement bien élevée, elle fit comme si ce disque était la plus jolie attention qu'elle ait jamais reçue. Et ça me gêna affreusement. J'avais fait un cadeau de plouc et voilà qu'elle me traitait comme un plouc, avec une déférence méprisante. Magdalena dans sa robe d'un rose poudré ne dégageait pas plus de sensualité qu'une poupée de porcelaine. Une envie de la briser tout au plus, voilà ce qui aurait pu attirer un homme dans ses bras. Un désir de l'exploser ou de vivre avec les millions de son père, très bon ami de Nonno, marchand d'armes. Que pouvaient bien se dire un marchand d'armes et un vendeur d'alcool milliardaires ? Ça commençait comme une blague dont je n'ai jamais trouvé la chute. Ils jouaient au golf et s'amusaient de leurs destins dont ils pavoisaient comme deux vieux coqs. Je les voyais sur la terrasse qui surplombait la salle de bal siroter un prosecco dont mon grand-père avait dû faire porter des caisses le matin même.

Je pris une des boissons sans alcool qu'ils servaient et je me mis dans un coin. J'étais regardé, puis discuté, comme un dossier. La consanguinité du monde de l'argent. Tout le monde sait ce que l'on vaut, la taille du sourire qu'on inspire équivaut au nombre de zéros sur le compte en banque de papa. Ceux qui me regardaient se divisaient en deux groupes : le premier croyait en une mort rapide de mon grand-père et un héritage conséquent qui m'eût rendu extrêmement beau garçon ; le second voyait en moi le fruit d'un mariage mixte, un des leurs et une Française « des plus ordinaires » leur avait-on dit. Je me sentais nu, démasqué avant même d'avoir tenté une amorce de discussion. Et sans mensonge ni alcool, comment espérer draguer ? J'ai toujours eu la chance que ma timidité passe pour du mépris et finisse par inspirer le respect. Mais en moi, ça grinçait comme une craie qui n'arrêtait pas de passer sur une ardoise. Avoir l'impression d'être là en fraude. De risquer que l'on me chasse à tout moment. En être, mais pas complètement. Chassé de l'Olympe. Un demi-dieu aux ailes saccagées. Avec ma moitié humaine comme seule existence et ce que je n'ai pas encore comme une espérance, un poison venimeux.

Une main me saisit. « Viens ! » J'ai reconnu l'ébène de sa chevelure et sa silhouette de dos. Elle n'était toujours pas jolie mais une grâce se détachait de chacun de ses mouvements et son port de tête n'était pas celui d'une adolescente. Elle planta ses yeux dans les miens comme elle le faisait avec tout le monde mais moi, je ne les baissai pas.

« Sandra ! » dis-je. Et ça lui plut que je la reconnaisse. La voisine à couettes cheveux lâchés. La voilà femme. Toujours amoureuse de moi. Elle m'avait entraîné avec une petite bande au fond du jardin. Les adultes étaient des silhouettes floues sur le balcon et je reconnus celle de Nonno quand on me passa le joint sur lequel je tirai. Ces quelques garçons, Sandra et une autre fille, diaphane, allaient et venaient pour boire du whisky au goulot et fumer des pétards afin de supporter la fête pleine d'ennui à laquelle nous assistions. La nuit tombait peu à peu. Les deux filles s'étaient déchaussées et on commençait à regarder d'un drôle d'œil nos va-et-vient. Je voyais des doigts accusateurs nous pointer depuis la terrasse. Sandra portait de longs gants comme Rita Hayworth dans *Gilda*. Je détestais ce film et cette séquence où elle chante « Put the Blame on Mame » en retirant son gant exactement comme on le lui a appris durant les répétitions. Je trouve que son seul charme est la maladresse suffisante qui nous permet de voir qu'elle exécute une chorégraphie. Son sex-appeal, elle ne le doit pas à sa précision, à la conscience qu'elle a de son cul ou de son pouvoir mais au peu de choses qui lui échappent et qui en font une femme à protéger. Je ne lui parlai pas de Rita, je me contentai d'attraper sa main satinée comme s'il était bien normal d'être gantée en ce début d'été. Nous étions de plus en plus enveloppés d'une brume joyeuse. Nous riions. Et puis nous restâmes près du grand marronnier. La salle de bal était sans intérêt. Être courageux ce n'est pas ignorer la peur, c'est y aller quand même, la trouille au ventre, faire ce qu'il faut. Et la différence entre l'inconscience et le courage est sans doute la raison morale de l'impulsion. À dix-sept ans, je voulais être heureux. C'était la raison. Elle me semblait morale à dix-sept ans. Le bonheur me paraissait être une chose bien, une aspiration digne. L'existence s'est chargée de m'en décourager depuis. Mais là, rien d'autre ne comptait que cette envie de vie qui jaillissait de moi. J'étais comme un soleil, brûler était à la fois ce que je faisais et qui j'étais. Nous n'entendions plus la musique du fond du jardin alors je me mis à fredonner un air et je tendis la main vers Sandra qui se lova dans mes bras pour danser. Elle portait des talons qui l'empêchaient de virevolter aussi je la pris dans mes bras comme une princesse, je lui enlevai ses souliers l'un après l'autre et les jetai dans l'herbe. Je chantais, elle riait puis je chuchotais, et puis plus. Les autres avaient repris la chanson. Nous ne faisions que tourner. Sans plus pouvoir nous arrêter. Je me rappelle mon sexe dur contre sa cuisse qu'elle appuyait à chaque tour pour me faire comprendre qu'elle avait envie de moi aussi. Nous ne vîmes pas arriver la cavalerie. Les quelques adultes qui avaient voulu déterrer la preuve de notre dépravation pour se venger de leur ennui. Tout autour ça criait et ça prenait des gifles. Et nous qui dansions étions pris pour des fous par d'autres qui n'entendaient pas la musique ; que le rythme et les sons qu'on s'imagine, que les surprises de la vie ne pouvaient pas atteindre.

Avec du monde autour de lui, Nonno était pire que seul. Il était comme en vie dans un très, très grand linceul. Un signe de sa tête m'indiqua qu'il fallait s'en aller, maintenant. J'embrassai alors Sandra à pleine bouche et son père l'arracha à moi. Elle souriait en reculant, puis elle rit très fort, un peu trop. Son père me regardait comme un homme amoureux. J'en fus saisi. Et il comprit que je l'avais démasqué. Il s'avança vers moi plein de haine et me menaça de son poing.

Nonno ne m'adressa pas la parole le jour suivant. J'avais la gueule de bois et je ne pensais qu'à revoir Sandra. Pas un émoi amoureux, mais le souvenir de ses cuisses qui se frottaient contre ma bite, il fallait que je les lui écarte. J'avais une furieuse envie de la baiser. Je descendis à la plage dans l'espoir de la voir mais elle était sûrement consignée à la maison. Je traînais avec ma serviette et n'osais pas me baigner de peur de me décoiffer. Je mettais des heures à sculpter mes cheveux avec de la gomina à la façon de Delon dans *Rocco et ses frères*. Allongé sur ma serviette de bain rayée, j'écrivais pour me donner une contenance, probablement une lettre détaillée adressée à Louis et Jacques pour leur raconter ce qui ne se passait pas dans ma vie. J'aimais écrire à mes amis et poster mon courrier devant le bistrot du port. Je leur écrivais une lettre commune et je savais qu'ils l'ouvraient ensemble, riaient de loin ensemble avec et de moi. Je me maintenais invisible dans un trio vivace. Je me baignais timidement. Je ramassais quelques coquillages.

Elle ne vint jamais. La plage se vida.

Je remontai bredouille.

Mon grand-père me laissa dîner seul.

Il me demanda juste si j'avais des amis à Paris, s'ils étaient de bonnes fréquentations. Mon attitude à cette fête l'avait préoccupé. Je lui parlai de Jacques et de Louis. Quand je lui dis que Louis se rêvait auteur, il s'agaça. Quand je lui racontai que Jacques était tombé fou amoureux et sur le point de se marier à dix-huit ans, il se mit carrément à hurler.

— C'est ça tes amis? Les bibliothèques sont pleines de livres, et les maisons pleines de chagrins et pourtant on écrit, on publie, on aime, on épouse. Tout cela sans logique. Des mauvais livres et des femmes qui ne nous sont pas destinées. C'est la fin de la société civilisée. Qu'est-ce que c'est que cette drôle de manie de vouloir épouser les femmes par amour? Tu ne feras pas cette bêtise, Sandro!

Nonno avait dix-huit ans quand il mit enceinte celle qui devint de fait sa femme. Je ne sais pourquoi mon père fut fils unique. J'imagine qu'il pensait qu'un fils suffisait afin de faire perdurer son nom, il ne s'imaginait pas avoir besoin d'un enfant de rechange. Si je n'avais pas existé, peut-être aurait-il engrossé une autre femme pour le bien de sa lignée. C'est en ces termes que parlait mon grand-père. Les choses de l'amour pour lui étaient des balivernes, il évoquait des femmes comme un charretier enrichi. Jamais il n'eut l'idée de les considérer. Les femmes étaient là pour être consommées et que ça se sache et les livres afin de montrer dans de grandes bibliothèques l'ampleur de sa culture, de ses moyens, comme si on ouvrait sa braguette à chaque dîner pour mesurer la plus grosse. Jouer à qui pisse le plus loin est sans doute un bon résumé de la vie de Giuseppe Brastini d'Alba. Cette nuit-là je découvris les poèmes en prose que Louis m'avait confiés. C'était beau. Sa vérité crue sans provocation qui appelait à une forme de mise à nu de l'être humain. D'obscénité de la réalité. Une sorte de Thomas Eakins de la littérature, lui avais-je écrit. Et je lui exprimais des idées de rébellion sociale, je faisais rouler la pierre de nos idées trotskistes la nuit dans le palais de mon grand-père. Écrire cela sous les fresques anciennes de notre maison familiale avait quelque chose de transgressif qui me plaisait. En réalité, je n'étais qu'un jeune crétin soumis aux idées à la mode. Je ne fus jamais profondément trotskiste, je ne serais jamais convaincu par un courant de pensée dans son ensemble.

À six heures du matin, le lendemain, Nonno jeta sur mon lit un costume ridicule accompagné d'un chapeau vert orné d'une plume et un fusil. « Caccia! »

Nous partîmes chasser sans un mot. Nonno savait que je détestais ça et maman lui avait fait jurer de ne pas me mettre une arme entre les mains. Mais les promesses que l'on fait aux femmes n'avaient pas la moindre valeur pour Nonno. Il me fit porter le gibier qu'il tuait. J'étais bien incapable d'en faire autant. Et il me le reprocha. Il faisait chaud et ça puait le sang.

Sur le chemin du retour, je mimai un acte de soumission. Je n'avais pu trouver d'autre prétexte pour revoir Sandra que l'envie soudaine d'aller m'excuser auprès d'elle et de ses parents. Nonno me félicita de me comporter comme un homme responsable, et il fut convenu que nous irions rendre visite à nos voisins à l'heure du goûter. Le père de Sandra était en voyage et cela valait mieux ainsi. Nonno m'invita à entrer sans lui. Il était convenu qu'il se baladerait dans le jardin et qu'on nous laisserait en tête-à-tête Sandra et moi avant de nous rejoindre. Je ne comprenais pas le besoin de cette mise en scène ni même la complicité de tout ce petit monde, mais je me prêtai volontiers à mon rôle, du moment qu'on me laissât voir

Sandra. Une domestique m'ouvrit et me fit attendre dans le hall. La mère de Sandra arriva. Je baissai les yeux et pris ma bouille de gentil garçon.

— Je peux voir Sandra, madame ? Je voudrais simplement lui présenter des excuses.

Elle hocha la tête.

Elle nous laissa dans la bibliothèque, le temps d'aller chercher le thé en nous recommandant d'être sages. Je ne parlai pas. Je soulevai sa jupe, l'embrassai pour qu'elle se taise aussi. Je sortis juste ma bite dure de mon pantalon. Sandra déplaça mon sexe avant que je ne la pénètre. « Je dois rester vierge, Sandro », chuchota-t-elle sous ma paume, qu'elle repoussa un instant. Elle cracha de la salive sur ma main, la fit descendre, me saisit puis me guida, habituée de la chose. Elle replaça alors ma main sur sa bouche. Je l'enculai contre le mur ciselé de bois et plein de manuscrits anciens. Il m'a semblé qu'elle jouissait. Je tentai de lui attraper la chatte pour la caresser aussi mais j'étais si excité que j'éjaculai vite. J'attrapai ses lèvres en lui tournant la tête pour ne pas qu'elle pleure, pour ne pas qu'elle se sente violée.

Je l'embrassais, goulûment. Je l'aspirais, je la saisissais comme j'aurais voulu embrasser tout ce fric qui était à portée de main et que Nonno ne me donnait pas. Toute cette envie que j'avais de vivre, de profiter, je la léchais sur la joue de Sandra. Alors, elle me murmura « je t'aime ». Nous entendîmes sa mère arriver. Elle baissa sa jupe, je remontai mon pantalon. Je ne répondis pas. Et je m'aperçus seulement alors qu'elle portait encore ses longs gants de soirée.

— Ça va les enfants ?

Nonno la suivait avec une assiette de biscuits.

Je pris le premier bouquin que je trouvai dans la bibliothèque pour me donner une contenance. Elle servait le thé. Impression que l'air était vicié, que nous ne pouvions qu'être démasqués. Ils s'assirent mais j'étais paralysé, debout, du sperme coulait encore sur ma cuisse. Et je ne comprenais pas pourquoi Sandra portait des gants en pleine après-midi d'été.

— Alors vous allez reprendre la suite de votre grand-père ?

— Non, je veux voyager. Je veux faire des choses.

— Quel genre de choses ?

— Pourquoi Sandro, tu crois que je ne fais rien ?

— Je ne dis pas ça, Nonno. Je sais comme tu travailles. Mais gagner de l'argent ce n'est pas tout. Je veux comprendre pourquoi je suis là.

— Je peux te le dire pourquoi tu es là, tu gagneras du temps. Et de l'argent, dit-il.

Ce qui déclencha chez la mère de Sandra un éclat de rire et, au tout petit mouvement de lèvres de cette femme si sèche, je compris que Nonno avait dû l'honorer plus d'une fois dans la bibliothèque. Sandra baissait les yeux, l'air gêné, à ce moment-là elle m'émut si fort que je faillis pleurer. Je dus poser mon livre pour accepter la tasse de thé qu'on me tendait. Mon cœur se mit à battre la chamade lorsque je réalisai que j'avais entre mes mains, qui sentaient le sexe, un exemplaire original du *Barone Rampante*. Je l'ouvris à la première page mais il n'y avait pas de dédicace. Ce n'était pas celui de papa. Je réalisai pour la première fois à quel point il me manquait et qu'il me fallait retrouver ce livre comme si ç'avait été une clé qu'il m'avait laissée pour ouvrir une porte avant de s'en aller.

— Sandro et Sandra, je me souviens de vous petits. Toujours à vous chamailler mais incapables de vous passer l'un de l'autre. Comment va ta mère ?

— Bien merci.

Et un couplet sur cette *pauvre femme* suivit... Nonno fit semblant de compatir. Je n'osais croiser le regard de Sandra.

Ils nous laissèrent ensemble quelque temps dans le jardin, nous faisant des signes par la fenêtre. Sandra me fit promettre de la rejoindre en Écosse, où elle passait ses vacances pour perfectionner son anglais. À l'entendre c'était très simple je... n'avais qu'à. Les filles dangereuses commencent toujours leurs phrases par « tunaka ».

Je répétai ensuite mes visites de courtoisie chaque jour. Je parvins à l'enculer dans la cabane du jardin une dernière fois avant son départ. Je reçus sa première lettre dès le lendemain. Elle l'avait postée de la gare. Puis elles semblaient se multiplier, un à deux courriers par jour. Elle me suppliait de la rejoindre avec des promesses sexuelles débridées et tordues qu'aucun homme de mon âge ne pouvait refuser.

— Je voudrais être n'importe qui excepté moi, disait Sandra dès qu'elle le pouvait. Elle le psalmodiait comme une prière. Comme pour se persuader qu'elle était haïssable. Au début je pensais qu'elle attendait que je lui dise comme elle était belle et comme je n'aurais voulu être avec personne d'autre qu'elle. Mais je compris vite qu'elle le pensait sincèrement. Elle résista quand je voulus lui enlever ses gants, j'insistai, je gagnais du terrain. Peu à peu je découvris sa peau blanche tailladée, scarifiée.

— Si tu viens en Écosse, je te donnerai tout, dit-elle en mettant sa main entre mes cuisses. Papa vérifie mon hymen. Il touche, pour voir si c'est bien en place, chaque soir.

Je la pris alors dans mes bras, conscient que je devais l'enlever à une horreur tue, dussé-je l'épouser. Je ne pouvais avouer à Nonno que je voulais voir Sandra en douce alors j'inventai un voyage avec des amis afin qu'il me donne un peu d'argent. J'aurais dû préparer mon mensonge avec soin car je donnais des réponses évasives. Nous avions prévu de nous promener dans un pays nordique, je ne sais plus lequel j'inventais. Rien de précis, l'envie de découvrir autre chose, de se cultiver.

Nonno s'énervait :

— Comment te le dire dans un langage que tu comprennes ? Ce n'est même pas que tes rêves soient inaccessibles, ils sont juste débiles, illogiques, irresponsables, dégradants.

C'est lui que je trouvais con et dégradant. Dès qu'il voulait se moquer de moi, il prenait à partie Donatello, son majordome, qui souriait à ses blagues tout en me lançant des regards compatissants.

Je sentis que si je restais plus longtemps, nous finirions par nous écharper. Lorsque je sortais du confort de mon quotidien, il fallait bien m'avouer que je n'avais pas de rêve. On n'avait eu de cesse de dire à ma génération qu'elle avait de la chance, qu'il

n'y avait pas de guerre, que nous étions
en paix, les cheveux longs à écouter des
musiques étranges ; mais je n'osais avouer
que secrètement, j'en espérais une, de
guerre. Un conflit bien plus large que moi,
qui ferait la taille du monde et me ramène-
rait à l'état de pion sur un grand échiquier
avec simplement deux couleurs, on m'en
donnerait une et un fusil et on continuerait
à décider pour moi. J'espérais cela comme
j'appelais les orages en priant le ciel afin
qu'enfant ils me privent de promenades
ou autres activités et figent ma vie dans un
ennui qui m'a toujours rassuré et étreint
comme aucun amour.

Il fallait que je fuie l'action et les attentes
de Nonno. Ce regard qui implorait de lui
donner la route que j'aurais dû choisir pour
ma vie. Je ne pensais qu'à ce qu'une guerre
éclate comme le tonnerre et déchire le ciel
de sa volonté.

J'écrivis à maman et elle dit à Giuseppe
qu'elle m'attendait en août pour partir chez
sa mère mourante. Ma grand-mère allait très
bien mais elle s'occupait du pauvre Monsieur
Pierre qui déclinait et ne pouvait recevoir

personne chez lui. Nonno n'en savait rien et semblait ravi que je quitte son décor, il préférait imaginer avec fierté ce qu'il voulait que je devienne que de se confronter à la réalité de ce que j'étais et de ce que je ne serais jamais. Mon épisode italien s'arrêta donc ici. Je revins en France où les chats sauvages chantaient sur toutes les radios « Twist à Saint-Tropez ». Louis avait promis qu'il m'apprendrait à danser dans son salon. Je pensais à Sandra dans le train et transformais en chagrin d'amour ce qui n'était peut-être après tout qu'une série d'érections massives au simple souvenir de ses mains gantées. Était-ce bien différent ? Maman était sur le quai, elle me prit dans ses bras, je la trouvai petite, presque vieille soudain. Elle était plus jeune que je ne le suis aujourd'hui. Depuis ma naissance, son corps ne cessait de rétrécir, comme si pour m'insuffler de la vie il fallait qu'elle ampute la sienne. Je me souviens que la femme pulpeuse qui me faisait rêver et sur laquelle Jacques, Louis et moi avions réussi à nous mettre d'accord venait de mourir. Marilyn Monroe était en couverture de tous les journaux et je n'avais qu'une certitude, j'aurais pu la sauver et je ne l'avais pas fait. Oui, si j'avais pu aimer Marilyn, elle serait sûrement encore là. Je reçus encore des lettres de Sandra pendant des mois. J'y répondais de moins en moins souvent. Il semblait que ces sodomies aient eu pour elle le goût d'une histoire d'amour. J'aurais bien suivi son cul et ses rires hystériques à Capri ou ailleurs, mais je n'avais pas un rond. Pour la première fois je me mis à travailler vraiment dans une crêperie près de la gare Montparnasse, qui m'avait embauché pour l'été. Je ne me décidais pas à répondre. Qu'aurais-je pu dire à cette fille à papa et à ses amis ? Je n'ai pas les moyens ? Je trouvais ça humiliant. Pas d'être fauché mais d'avouer que mon grand-père ne me considérait pas suffisamment pour estimer que je méritais des vacances avec des jeunes de mon âge. Ses premières lettres étaient enjouées, puis inquiètes, je finis par répondre avec distance que j'avais autre chose prévu avec mes amis, Sandra devint alors agressive, puis s'excusait la fois suivante. Elle semblait perdre les pédales. Elle me menaçait de se faire prendre par tous les hommes qu'elle croiserait, comme si nous nous étions promis quoi que ce soit, comme si ses fesses étaient désormais ma propriété. La dernière lettre que je reçus d'elle, cet été-là, elle l'écrivit avec son sang.

Je traverse deux forêts et me perds à plusieurs reprises sous une pluie battante pour trouver l'entrée d'un petit château de brique rose. Jean-Robert des Clérimois vit dans l'Yonne, aux portes de la Bourgogne. En plus d'une bibliothèque impressionnante de richesse et de beauté, il possède une cave dont il tient à sortir un grand cru de meursault. Nous le dégustons avec d'ignobles biscuits apéritifs dont il semble raffoler, tandis qu'il m'explique les raisons de notre rencontre. Je le regarde avec joie, le mot bonhomie semble avoir été inventé pour lui. Il est difficile de lui donner un âge. Tout en lui est moelleux et dodu, comme ces dessins des caricaturistes du XIXe qui ne sont pas encore outranciers mais forcent juste un peu les traits. Son nez surtout ressemble à un trampoline pour moineau. Il a des yeux noirs, les plus foncés jamais vus, qui dégagent une malice que son verbe ne contredit pas. J'ai envie d'être son ami à l'instant même où il m'ouvre la porte, confiant mon imper trempé à sa vieille domestique qui le met sans cérémonie sur le chauffage du salon.

Jean-Robert des Clérimois possède exactement cent soixante-dix-sept exemplaires rares d'*Orgueil et Préjugés*. Il est veuf d'une Anglaise milliardaire évidemment excentrique, qui lui a donné le goût du thé Earl Grey, des complets trois-pièces avec veston dépareillé, de pantalons de couleur pour le week-end, de chapeaux beiges qui grattent, et pire que tout, lui a inoculé une passion honteuse pour les romans de Jane Austen. C'est ainsi qu'il se présente. Il semble avoir, en outre, reçu pour héritage un humour britannique d'une efficacité redoutable. En tout cas, il me fait rire immédiatement, un jour plein de chagrin.

Jean-Robert se fait appeler Jean-Bob, ce surnom qu'il s'est lui-même attribué le réjouit. L'ami qui nous a mis en contact m'a expliqué qu'il voulait bien dépenser une fortune colossale pour continuer sa collection d'ouvrages rares de Jane Austen mais qu'il voulait d'abord s'entendre avec celui qui chercherait les précieux exemplaires tout autour du globe. Beaucoup avaient essayé artificiellement et s'y étaient cassé les dents.

Quand j'avoue à Jean-Bob que je n'ai jamais lu Jane Austen, il m'installe de force près de sa cheminée, avec la fin de la bouteille de vin, et me laisse plusieurs heures avec une édition originale du texte, en anglais bien entendu. Je l'ouvre fatigué, avec la crainte de m'endormir au coin du feu, dans ce fauteuil de cuir si moelleux et confortable qu'on croirait une copie parfaite de l'appendice nasal de Jean-Bob. Je commence la lecture du roman avec un rictus sarcastique, me disant qu'il était à l'eau de rose. Mais très vite, une page chasse l'autre et je me surprends à sentir mon cœur battre à l'unisson de celui d'Elizabeth. Me voilà en colère contre Monsieur Darcy, personnage que je suis pourtant dans la réalité. Laure martèle chaque page malgré elle, je ne peux lire sans faire entrer toute ma vie dans ce monde élisabéthain dédaigneux. J'y vois Nonno, Sandra. Ce que la vie m'a poussé à faire et empêché de vivre. À la dernière page, je bois une petite gorgée de vin car ma bouche est sèche. Je pleure. À chaudes larmes, je pleure. Je n'entends pas tout de suite la respiration de Jean-Bob.

— Vous en faites encore plus que vos prédécesseurs pour avoir le job.

— Je suis désolé. Je ne savais pas que vous étiez là, excusez-moi, ça a fait écho à ma vie en ce moment, ou plutôt à la vie que je ne vis pas.

— Ne vous excusez pas. Il y a tant de promesses d'amour scellées dans le silence.

La pénombre qui s'est abattue sur la maison cache mes joues en feu et mon abattement me semble déplacé. Il a l'élégance de ne rien me demander. Nous parlons de ce qu'il recherchait pour sa collection puis il me confie une mission qui prendra par la suite beaucoup de place dans ma vie.

Il y a longtemps que Jean-Bob rêve de posséder des livres très particuliers nés à Florence chez les Pillone.

— Connaissez-vous ces livres, Alexandre ?
Je fais signe que non. Jean-Bob m'explique
qu'au XVIᵉ siècle les livres étaient rangés dans
les bibliothèques de l'autre côté. La tranche
apparente pouvait mentionner le nom de
l'auteur mais les dos des reliures ne portaient
pas encore un titre. Je savais cela. Mais ce
que j'ignorais c'est qu'à ce moment-là, la
famille Pillone a commencé à faire décorer
ses livres de manière remarquable. Comme
à Venise où les palais étaient décorés aussi
bien à l'intérieur que sur leurs façades, dans
cette société où la peinture prenait une place
prépondérante, on se mit à orner les livres
dont les tranches mises bout à bout recréaient
des tableaux magnifiques des plus grands
peintres de l'époque, qui sont sans doute les
plus grands artistes que le monde ait portés.
Ces livres rares n'avaient pas quitté l'Italie
puis ils avaient été vendus tous ensemble
au XIXᵉ siècle à un collectionneur anglais.
Après les années 1950, ils ont été apportés en
France dans diverses collections privées mais
certains étaient déjà exposés dans des musées
ou des bibliothèques publiques. D'après
Jean-Bob, il doit en exister cent cinquante

dans le monde. Pas beaucoup plus. Et il rêve d'en posséder quelques-uns. Un tableau de livres. C'est ainsi qu'il en parle. Son budget n'a pas de limite.

Il me souffle, ensuite, que je peux en parler à mon grand-père. Je fais une mimique surprise et Jean-Bob opine du chef.

— Je vous engage aussi parce que vous m'êtes sympathique. Et je vous suggère fortement les antidépresseurs.

Je tente en vain de me souvenir d'un Pillone dans la bibliothèque de Porto Ercole. Si Nonno possédait un de ces fameux livres, il devait être à Milan, en lieu sûr.

Jean-Bob me fait un chèque d'avance et me présente un ami nain avec lequel il vit : « Avoir un nain à domicile me paraît être une chose indispensable pour un gentleman. »

J'en ris dans ma voiture. Jane Austen, Jean-Bob et son nain, tout cela m'a fait un bien fou. Malgré l'heure tardive, je fais un détour pour passer devant la galerie. Au cas où... Mais elle est fermée. Sur la porte, il

y a un foulard, son foulard. Elle l'a laissé
pour moi. Je le porte à mon nez et son
odeur me procure du chagrin comme celui
d'un être disparu. La lumière est éteinte. Je
reprends ma voiture et je ne fais rien de plus.
Une grippe me cloue au lit. Laure se mariera
comme convenu le week-end suivant et je
me tairai. Jean-Bob a raison… Il y a tant de
promesses d'amour scellées dans le silence.

La rentrée scolaire chassa mon malaise. La terminale. La dernière ligne droite avant la sortie de taule, pensions-nous bêtement, sans savoir que la vie entière était une prison et que nous n'étions qu'à sa porte. Tout se mélangeait dans ma tête comme il se doit quand on a dix-sept ans. Début de mon engagement marxiste que j'ai traîné long-temps comme une vieille maîtresse. Nous étions en pleine crise des missiles de Cuba et je voyais des complots partout. Louis et moi nous détestions les Américains mais raffolions du Ketchup que nous venions de découvrir et que nous mettions dans tous nos plats. Nous avions choisi le russe comme deuxième langue. Ça nous semblait extrême-ment judicieux, et l'idée de lire Pouchkine dans le texte me remplissait de joie. En réa-lité, je n'ai jamais lu Pouchkine, pas même en français. Louis passait l'été à Paris, au cinéma. Je l'accompagnais. Nous fumions des clopes, nous débordions de haine pour le capitalisme, cette grande secte fantôme qui nous semblait d'un bloc. Mon grand-père m'apparaissait alors comme la lie de l'humanité. Louis s'était inscrit en fac de droit. Moi, ce qui m'intéressait, c'était de me payer un Solex. Jacques en avait un, il commençait à porter des santiags dont il fera sa panoplie à vie. Il aimait l'ennemi et nous traînait voir des westerns. Nous faisions mine de trouver ça idiot et binaire mais retournions vérifier systématiquement si le nouveau était plus intelligent que le précédent.

En septembre, le crêpier était revenu, alors pour gagner un peu d'argent, je me mis à travailler dans un cinéma de quartier comme poinçonneur. J'y allais chaque après-midi après la classe et le week-end. Les lettres de Sandra se faisaient de plus en plus pressantes et étranges. Elle me disait que son père vérifiait son hymen chaque soir, obsessionnellement. Qu'il l'appelait sa vierge. Et tout pesait lourd dans ses mots. Je fermais les yeux sur l'horreur comme elle, quand son père se penchait au-dessus de son sexe et qu'elle se jurait en secret que ce bout d'enfance qui restait, elle me le donnerait. Que ce morceau de chair qui la gardait prisonnière serait à moi comme un anneau de peau qui scellerait notre amour à jamais. Elle me racontait nos souvenirs d'enfance. Comme elle était méchante parfois parce que je l'attirais déjà et que ce que je faisais naître dans son cœur d'enfant la mettait en colère. Elle ne le comprenait pas. J'avais calculé qu'il me faudrait travailler jusqu'aux vacances de Noël pour payer le billet de train jusqu'à Rome puis le bus jusqu'à Porto Ercole où Nonno peut-être voudrait bien venir me chercher... Et ensuite, quelques nuits d'hôtel tous les deux pour qu'elle commence l'année comme une femme. C'était son expression. « *Come una donna.* » Je ne racontais rien de mes efforts à Sandra. Elle pensait que mes études me retenaient à Paris. J'aimais traîner au cinéma même quand je n'y travaillais pas. Le projectionniste m'avait montré comment il installait les bobines et parfois il me laissait essayer. Pendant la séance, je buvais du café dans le bureau du directeur du cinéma avec

ses ouvreuses. Il en tripotait une qui glous-
sait. L'autre me regardait avec insistance.
Je faisais mine de ne pas m'en apercevoir.
Ils parlaient de leurs rêves. Et je me rendais
compte qu'avec Nonno, j'en avais réalisé
plus d'un. Beaucoup de choses m'avaient été
offertes sans que je saisisse que ce n'était pas
naturel. La mort de papa m'avait amputé de
ma vie promise. Je n'étais à ma place dans
aucun milieu. Je n'appartenais pas vraiment
à l'un et j'accéderais bientôt à l'autre... Ma
vie était un intermède frauduleux. Et la
mort de Nonno, qui arrivera bien trop tard,
n'arrangera rien. Tout cet argent, comme
celui d'une loterie pipée me semblera sale.
Je répondais brièvement à ses lettres mais
toujours avec passion et je lui glissais des
photos de Paris, sa ville préférée.

En octobre, Nonno me fit appeler par
son secrétaire pour m'apprendre la mort
de Sandra. Je demandai, abasourdi, ce qui
lui était arrivé et il me répondit qu'elle en
avait fait le choix. Je ne sus jamais comment.
S'était-elle jetée par la fenêtre de leur grande
bâtisse de Porto Ercole ? Nonno aurait pu la

voir voler un instant. Ou avait-elle pris des médicaments et s'était-elle enfoncée dans un sommeil nauséeux plus et plus encore et puis trop profondément ? C'était exactement quatre mois après notre premier baiser. À seize ans et demi, elle avait obtenu pour toujours la permission de minuit. J'avais enfin assez d'argent pour aller à l'enterrement mais à quoi bon ? Pour être montré du doigt ? J'étais celui qui l'avait fait danser pieds nus. J'étais le jardinier qui avait planté le grain de folie, il n'avait fait que pousser jusqu'à ce que les branches sortent d'elle et l'étouffent. En moi Sandra danse encore, Sandra attend que je la rejoigne sur une plage de la côte amalfitaine. Sandra fuit son père, encore, dans l'au-delà. Quelque chose en moi voudrait le crier, hurler qu'il baissait sa culotte pour voir si elle était vierge, et quoi d'autre ? Mais je suis de la dernière génération du silence, celle où l'on étouffe de mensonge, où l'on s'arrange afin que le monde soit moins dégoûtant. Les morts de ma vie sont prononcées en italien. Pourtant la mort je me la suis toujours formulée en français. C'est plus grave, ça berce les romans, c'est au cœur des questions. Les monuments célèbrent les disparus. Le français n'est pas une langue de plaisanterie, quand on vous dit qu'une personne est décédée, c'est qu'elle est froide, pas qu'elle est pliée de rire. Les fontaines de Rome c'est l'amour. Les ruelles de Naples, le badinage. Les romanciers du pays de mon père m'ont appris le mensonge. Et c'est une langue qui ensorcelle, qui enrobe, qui calfeutre, elle convient à la perfidie, au masque, pas à la mort. C'est sans doute pour cela qu'on m'a dit les mots de la mort mais que je n'y ai pas cru. Que je n'y crois pas. Pour moi mon père s'est barré un jour avec une autre femme, une naïade, une sirène prénommée Morta. Avec les sous que j'avais péniblement mis de côté, je pus m'offrir un Solex 1010 d'occasion. Il était rouge et tombait en panne tous les trois jours. Jacques savait comment lui parler et le relancer. Tous les trois nous partions en virée dans Paris. Je portais un petit casque noir et je filais à toute allure. Parfois, dans les descentes, avec le vent sur le visage, je pleurais Sandra.

1967. C'est cette année-là que, dans une salle obscure, ayant déjà vu plusieurs fois *Les Douze salopards* je fis la connaissance de Catherine Deneuve dans *Belle de Jour*. L'idée que derrière chaque mère de famille se cache une putain est un fantasme masculin bien primaire mais qui a toujours fonctionné sur moi. J'ai eu envie de baiser toutes les mères de mes copains, puis jusqu'à leurs quarante ans, puis leurs fiancées, puis leurs filles. Plus elles étaient coincées, plus elles m'excitaient. Deneuve c'était LA femme. Mon premier fantasme d'adulte. Elle avait été précédée par Pascale Petit dont j'ai léché le bout de nez mille fois dans mes rêves, Marilyn avait ouvert le bal dans *Sept ans de réflexion*, première érection surprise, j'étais avec papa qui me regardait baver en se marrant. Jacqueline Joubert fut mon adoration, la speakerine plus intéressante que n'importe lequel des programmes qu'elle annonçait. Elle m'engloutissait tout entier dans sa poitrine, chaque soir avant le coucher. Catherine Langeais me dégoûtait mais je l'ai fessée plusieurs fois en rêve malgré tout. Et Jacqueline Huet, ah Jacqueline, Dieu qu'elle était bandante! La plus sexy de toutes les femmes du monde. Surtout quand elle se voulait chic et qu'elle masquait ses décolletés sous des chandails orange, prêts à exploser sous mes doigts. J'avoue avoir fait couler des litres de sperme sur des couvertures de *Télépoche*. Ma mère n'a jamais compris pourquoi nos programmes télé disparaissaient systématiquement. Deneuve restera. C'est la seule femme pour laquelle je pourrais tout quitter, même aujourd'hui. Cet air doux sous la glace. Tout ce qui brûle. Elle est tout ce qui brûle.

L'arrivée des femmes dans ma vie m'a fait perdre du temps sur le reste. Séduire, voilà ce que je voulais faire comme métier; séduire et baiser. Je voulais être aimé aussi. J'avais besoin que les débuts ressemblent à des histoires d'amour fracassantes. Je me trouvais dans la nécessité de croire en l'éternité et de la voir s'inscrire dans les yeux de l'autre. Dès qu'elle était en revanche prononcée par une femme à laquelle j'avais fait l'amour, elle me dégoûtait profondément, et je prenais la fuite. Ma première histoire plus longue qu'une semaine de rêverie, je la dois à ma culpabilité. Je draguais Rebecca, une jolie jeune fille juive de bonne famille dont la meilleure amie, Rachel, une brune de caractère au nez busqué et aux seins en poire nus sous ses chemisiers légers plaisait à Louis. Rachel était étudiante en histoire, très impliquée au Parti communiste et passait ses week-ends à débattre et tracter. Elle me laissa en caser une et comme à mon habitude je sortis une phrase désinvolte sur la fortune familiale tirée de nos caves en Italie et la maison de Porto Ercole qui me manquait. Rachel releva immédiatement :

— Ils faisaient quoi ton père et ton grand-père pendant la guerre ?

Je fus sonné car j'avoue, chose étrange et tout à fait glaçante, que je ne m'étais jamais posé la question. J'étais juste né et j'avais vécu, m'enivrant du présent et des reproches suffisants qu'il engendrait. Je pensais m'en sortir avec un « mon père est mort », mais Rachel répliqua : « Les miens aussi. En 1940, ils faisaient ce que faisaient les juifs dans un camp et moi j'étais cachée dans une ferme. Et ton grand-père continuait sûrement à faire de l'alcool. Et qui le buvait ? » Cela me valut deux ans avec une brune débridée au lit mais que je ne désirais pas. Deux ans d'endoctrinement. Des études de sociologie inutiles. Des dîners à n'en plus finir, à manger des pâtes trop cuites et parler de Capitalisme avec un C majuscule. Louis, en revanche, épousa Rebecca. Il échappa de peu à la circoncision. Les parents de Rebecca acceptèrent une simple cérémonie à la mairie. Rachel et moi fûmes leurs témoins, funeste présage. Rebecca mourut en couches avec leur enfant. Le cœur de Louis n'y survivra pas. Jamais je ne lui connaîtrai d'autre femme. Jamais il ne m'en parlera. Il aimera quelques hommes dans un paysage lointain qu'il ne fera jamais entrer dans nos vies, juste dans la sienne, une toute petite sienne comme une cache d'enfant, visible mais inutile parce qu'elle n'enfermera des secrets qui ne le seront qu'à ses yeux. Non, Louis ne se remettra pas de Rebecca. C'est ce que je dirai à Rachel quand je la rencontrerai dans trente ans. Elle me reconnaîtra immédiatement et son ton de voix me remettra à une place d'enfant coupable. Je détesterai ça. Elle sera grosse, vivra près de New York avec un éditeur de revues spécialisées dans les jeux vidéo. Et son engagement dans une association de consommateurs lui vaudra le doux surnom de « French wrestler », me racontera-t-elle très fière.

Dieu merci, grâce à mon incapacité avouée à changer le monde et même à essayer, Rachel me quitta après deux ans d'acharnement thérapeutique sur mon cerveau dont la sphère socialo-politique ne répondait plus. Elle me fit explorer Lacan, Marx, et la partager au lit avec un vieux psychanalyste, Antonin Chaudron, passionné de comportementalisme, qui me trouvait « hostile » quand il tendait la main vers mon cul nu. Rachel me trouvait obtus et bourgeois. Il n'en fallut pas plus pour me congédier. Elle m'avait dit être une Yoko Ono qui cherchait son Lennon, en gros elle voulait continuer à être la casse-couilles mais d'un mec inspiré ; moi je ne savais toujours pas ce que je voulais faire dans la vie ni de ma vie.

Je fis un sac avec quelques fringues, pris mon passeport et tout l'argent que je possédais et je dis au revoir à ma mère. J'avais besoin d'air, de voir d'autres visages.

En une du journal ce matin-là, un certain Zeitoun affirmait que la Vierge Marie était apparue au Caire et comme une sorte d'hallucination collective avait eu lieu, plusieurs centaines de personnes témoignaient de cela, cette femme qui flottait au-dessus d'une église copte était descendue les voir. Sans réfléchir et parce qu'il y avait un vol abordable quelques heures après, j'achetai un billet pour l'Égypte. Dans l'avion qui me menait au pays des Pyramides, je m'assis à côté d'un homme qui changea ma vie. Il était bouquiniste quai Voltaire et répondait au nom de Marcel Marcel. Je crus au début que c'était son surnom mais ses parents l'avaient nommé ainsi, persuadés qu'ils en feraient une star de cinéma. Sa femme qui, par chance, ne se prénommait pas Marcelle, lui disait que ça aurait pu être pire et qu'il aurait pu s'appeler Jean-Claude Jeanclode. Ça me faisait beaucoup rire et il trouva que mon nom, Alexandre Brastini d'Alba, en jetait. C'était une époque où les riches Italiens existaient encore et Marcel semblait excité à l'idée que je le mette en contact avec cette clientèle. Il me demanda ce que je faisais dans la vie et éclata de rire lorsque j'évoquai mes études de sociologie.

— Comme tous les crétins vaguement politisés, tu as choisi la voix du néant.

C'était une époque où l'on fumait en avion et il me crachait des volutes blanches dans le visage. Il me demanda quel était mon livre, celui que je cherchais.

— Calvino... Donc famille de droite mais famille d'intellos ?

— Un auteur et vous définissez une famille ?

— Oui. J'ai tort ?

— Pas vraiment. De droite, oui... mais intellos je ne sais pas. Disons qu'il y avait des livres dans la bibliothèque.

— C'est la vraie intelligence, Calvino. Une ironie douce. C'est rare.

Et c'est aussi Calvino qui me sauva de la culpabilité familiale. Lui qui était dans la Résistance italienne, aurait-il signé un livre à un gosse de collabo ? Cette dédicace existait-elle vraiment ? Ne l'avais-je pas rêvée ?

Arrivé à l'aéroport, Marcel me demanda de l'assister dans une expertise qu'il faisait l'après-midi même. Un riche collectionneur venait de mourir et son corps à peine frais, sa descendance dilapidait sa collection comme des vautours saccagent un cadavre. Nous entrâmes en catimini dans une atmosphère de deuil et on nous laissa dans une immense pièce en bois précieux qui contenait des milliers d'ouvrages. La veillée dans la chambre voisine laissait passer des larmes et des volutes d'encens. Ironie du sort, nous étions à la recherche d'incunables, ces ouvrages imprimés à partir de 1500 et dont la racine latine veut dire littéralement « berceau ». Marcel Marcel m'expliqua comment évaluer la date d'impression d'un incunable, grâce aux fontes de caractères utilisées, au nom de l'imprimeur, à la qualité du papier, aux ornementations qui habillent la couverture. Marcel regardait tout ça et m'expliquait sa passion. C'était sans doute la première fois qu'on me parlait comme cela d'une chose et je le lui dis.

— Ah non, mon grand-père a aussi essayé de me transmettre sa passion pour les putes.

— Et il a échoué ?

— À l'époque, j'étais plutôt concentré sur les Évangiles.

— Finissons l'expertise et donnons raison à ton grand-père.

Marcel ne me quitta plus de tout le séjour. C'est lui qui me décida à me lancer dans ce métier. J'expliquai cela à Nonno qui s'énerva au bout du fil jusqu'à s'en étouffer.

— Comme un antiquaire pour livres ? Et pourquoi pas travailler au marché aux puces tant que tu y es ! Tu sais quel nom de famille tu portes ?

Aussi refusai-je à cette époque la proposition de Marcel Marcel et je poursuivis mes études. Il m'en voulut et nos liens se distendirent. Mon diplôme en poche ne combla pas cette béance et j'exécutai quelques tâches pour Nonno en vendant de grandes quantités d'alcool familial à des restaurateurs.

Il me resta un long moment des séquelles de cette histoire avec Rachel, pantalons en velours, quelques amis fumeurs de pipe ou professeurs de philosophie, souvent les deux à la fois, et la capacité à prononcer des phrases telles que *Dire non c'est déjà penser* ou *Le vieux monde est un leurre qu'il nous faut gribouiller*; toujours suivi d'un « tu vois ? ».

Je ne vécus que des histoires brèves et intenses jusqu'à l'apparition de Bianca.

Canicule de 1976. Il n'avait pas de climatiseur et sa librairie était une fournaise, j'y entrai quand même et je lui demandai de but en blanc s'il se souvenait de moi et si sa proposition tenait toujours. Il leva à peine les yeux sur moi et me répondit : « *Il Barone Rampante,* édition originale avec une dédicace de l'auteur pour votre père Vittorio. » Marcel Marcel m'expliqua que chaque homme cherchait un livre, même ceux qui l'ignoraient. Je tombais bien, il était supposé s'envoler pour Montréal mais une affaire urgente le retenait, c'est ainsi qu'il m'envoya pour ma première mission expertiser un livre. Il m'expliqua comment faire ; ce que je devais retenir et comment repérer un faux. Le livre appartenait à un professeur de l'université McGill et s'il disait vrai il pouvait s'agir d'un ouvrage publié par Albrecht

Pfister, un éditeur extrêmement connu. Chaque livre était unique au XVIᵉ siècle et celui-ci pouvait valoir une petite fortune.

Ce fut le cas. Marcel Marcel gagna beaucoup d'argent et m'engagea. Je me mis à voyager pour des collectionneurs qu'il évitait avec soin de me présenter afin que je ne passe jamais de mon côté au cas où il me viendrait l'idée de traiter avec eux en direct. Malgré tout, au gré de mes rencontres, je commençais à me créer ma propre clientèle et à me spécialiser dans l'enquête. Je ne possédais rien ou quasiment rien en réserve. J'étais mandaté pour retrouver un rêve, ce qui me permettait de poursuivre le mien. Marcel Marcel n'aimait pas s'en aller de Paris et je passais de plus en plus de temps dans les avions. Au début avec bonheur. Mais ma maladie de la réalité tronquée tachait de plus en plus fréquemment de ses élucubrations tous les lieux où je me rendais.

Comme cadeau de mariage, Nonno m'offrit l'appartement de Verneuil dont il avait laissé l'usufruit à maman mais qui lui appartenait. Je l'ignorais jusqu'alors. Il m'avait mis face à la responsabilité d'héberger ma mère et l'en informa. Je fis mine de croire que son sacrifice me réjouissait lorsqu'elle m'informa vouloir s'installer dans une maisonnette en proche banlieue.

Quelques années après, lorsque Bianca a attendu notre second enfant sans attendre que Clara ait un an, il fallut quitter Verneuil. Je répondis à la logique de ma femme par l'affirmative. Bien sûr cet appartement était celui dans lequel j'avais vécu avec ma mère. Nous y étions à l'étroit. Oui, elle avait le droit de choisir son chez elle. Je la haïssais de toutes mes forces de me déloger de mon passé, de m'obliger au changement. De m'installer dans la vieillesse. De multiplier les vies autour de moi. Et ce second enfant, comment l'aimerais-je dans un décor où je n'aurais aucun souvenir de la manière dont mon père m'avait aimé, moi? Dans un pays qui ne parlait pas sa langue? Dans un monde qui ne l'aura pas connu. J'hésitais à appeler Nonno pour qu'il me prête de l'argent. Après tout, il serait à moi un jour. Mais mon orgueil n'avait d'égal que le sien et je me suis retenu. Nous n'avions pas assez d'argent, l'affaire fut close. Dix ans après, je fis ma plus belle opération. Un livre illustré par Dunoyer de Segonzac que j'ai revendu à la Bibliothèque nationale française. Nous avons déménagé dans un appartement haussmannien qui donnait sur les Invalides. J'avais trouvé le livre lors du rachat d'une succession. J'avais dû y amener mon fils qui attendait sagement sur une chaise avec son *Pif Gadget*. Et le livre m'était apparu. Je tentai de garder l'air calme et proposai une somme pour la totalité du lot alors que les autres ouvrages ne valaient rien, puis je partis comme un voleur. Ma femme disait que Nicola me portait chance.

En réalité, un petit garçon m'obligeait à ne plus l'être. Ma fille m'avait poussé à grandir mais lui me forçait à vieillir. En quittant l'arbre immobile qui rythmait ma vie, par la fenêtre je ne voyais plus que des voitures, des gens qui marchaient, des taxis que je ne prenais pas. Mon quotidien est devenu une fuite. J'étais protégé par l'appartement de mon enfance et je me trouvais enfermé dans celui-ci. Tous les ailleurs me semblaient plus en vie que ma vie. Mieux. Différents. Avec les heurts et les secousses que j'espérais et qui me faisaient peur. Avec le temps, j'avais trouvé un moyen d'avoir suffisamment d'argent pour ne pas me préoccuper d'en gagner, mais pas assez pour vivre comme je l'aurais souhaité. Quand je perçais les plafonds de mes comptes bancaires, je prenais un dessin à Porto Ercole, que je vendais à un ami antiquaire. Ce n'était pas un larcin, plutôt une avance sur héritage. Je passais la journée chez mon grand-père, nous déjeunions ensemble, il m'humiliait en me rappelant tout ce que je n'avais pas fait, je subissais son caractère acariâtre, parfois même je le faisais rire à mes dépens, ça valait

bien une compensation. Ma famille possédait une série d'esquisses qui avaient servi
à Véronèse pour exécuter ses trompe-l'œil
les plus célèbres. Papa les adorait et en avait
fait encadrer une vingtaine.

Nonno ne se rendait jamais dans cette partie de la maison. Il était trop vieux désormais
pour grimper les marches de pierre glissantes
qui montaient à la petite chapelle transfor-
mée, des années auparavant, en chambre
d'amis. Les employés avaient donc oublié
son existence. Je décrochai un des cadres et
je le glissai dans mon sac.

Quand je partais, Nonno se prenait soudain d'affection pour moi et me recomman-
dait d'aimer le plus de femmes possible,
comme si je pouvais le venger de sa vieillesse.
Il me regardait longtemps et se réjouissait
de voir que je possédais le corps athlétique
de mon père sans avoir à l'entretenir et ce
charisme nonchalant flanqué là comme mes
yeux, sans que je l'aie mérité.

— Ah! si tu n'avais pas hérité du charme
de la famille!

Ce charme avait eu un effet sur mes
propres miroirs; très tôt j'avais su que la

paresse était une option, et je l'avais laissée me choisir. Je suis resté coincé dans les hésitations de l'adolescence. Ma mère m'avait demandé à plusieurs reprises l'année de mon bac : « Que comptes-tu faire de ta vie ? » Je l'avais employée à ne pas répondre.

Le jour du déménagement, je me suis disputé avec Bianca et me suis rendu dans l'atelier de Laure. Elle me l'avait souvent proposé mais j'avais peur de moi en sa présence. Elle m'ouvrit, vêtue d'une salopette, armée d'un fer à souder. Laure sculptait invariablement de longs corps maigres, comme des fantômes bienveillants ou des rescapés. En marche, en vie mais animés de chagrin.

— Sculpter c'est chercher une manière nouvelle de faire une chose ancienne.

Je dus me résoudre à admettre qu'elle avait un talent fou et cela m'intimida tant que je n'osais poser mes mains sur elle. Je ne touchais que ses sculptures, ses enfants décharnés qui attendaient un père. Nous nous regardâmes dans le silence entre ses peurs incarnées et fragiles. C'est elle qui prenait la parole avec enthousiasme, elle souriait, elle semblait heureuse. Elle exposait le mois d'après en Allemagne et quittait peu à peu la galerie. Laure réalisait son rêve et je quittais à peine l'appartement de mon enfance. Je suis rentré à temps pour sortir mes livres de leurs cartons et les ranger à ma façon. Il est pour moi un signe de grande richesse et de joie d'avoir une bibliothèque qui déborde, des bouquins sur le sol en piles. Comme des Lego, comme des marches qui montent à ce qui nous a bâtis. Les histoires qu'on achète sans les lire comptent aussi dans nos vies. Pourquoi certaines fois gardons-nous dans la poche le chocolat qui nous est offert avec le café en attendant de le déguster alors qu'il arrive que nous nous jetions avidement sur une boîte de friandises ? Je parcours souvent les couvertures usées qui tapissent mes murs. J'écris mes émotions à la fin des romans, ou en bas de page, il arrive même que je dessine, et en retrouvant des gribouillis, c'est aussi une part de moi qui me revient et me fait sourire. Je regarde les romans pas encore ouverts, ils me font attendre. Il faut se sentir prêt, on ne va pas n'importe quand chez la princesse de Clèves ou s'enfoncer dans le désert des Tartares...

J'aime les titres comme on aime une silhouette de femme au loin dans la rue, à sa démarche, ses vêtements, on croit toujours pouvoir deviner son odeur, le son de sa voix. La littérature pourtant m'a moins déçu que les gens.

Souvent, après un dîner aux prémices amoureux, j'ai attiré mes conquêtes vers une librairie du boulevard Saint-Germain ouverte jusqu'à minuit et leur ai proposé de m'offrir un livre tandis que j'en choisirais un pour elle avec soin. Nous avions rendez-vous à la caisse quelques longs instants après et à la vue de la couverture, je savais si la nuit se prolongerait plusieurs nuits.

Bianca m'avait offert *Les Fiancés* de Manzoni. En italien c'est textuellement les époux promis : *I Promessi Sposi*, l'un des chefs-d'œuvre de la littérature italienne et surtout son premier roman moderne, celui qui marque un début... un auteur qui porte mon prénom, la langue de mon père traduite dans celle de ma mère, un titre prémonitoire.

Intelligent. Judicieux. Cette femme-là me voulait.

Je n'ai pas fait cela avec Laure, d'abord parce qu'il n'y a pas eu de dîner qui laisserait présager quoi que ce soit, il y avait juste eu l'amour en fracas. Ensuite, parce que l'histoire que je voulais entendre était la sienne, pas celle qui reflétait le mieux son âme.

Souvent loin de chez moi, je suis pris de panique. J'imagine que mon pays n'existe que pour moi, que ma vie est un fantasme et qu'on m'en ferait part avec un sourire intrigué si j'atteignais un aéroport.

Paris ? France ?

Oui, mes enfants sont là-bas.

Nous ne vendons pas de billet pour cet endroit, monsieur.

L'Italie ?

Le sourire devient inquiet.

Non plus, non, navré monsieur. Il y a du monde derrière vous, excusez-moi.

Alors, j'appelle pour entendre les voix des miens, mais là encore, je me dis qu'elles ne sont peut-être qu'une illusion, que mon cerveau les fabrique. Que je suis fou. Je me douche et l'eau me semble différente, métallique, irréelle. Naissent en moi des pics de douleur sourde. Je ne sais si cette douleur reste là toujours, tapie dans l'ombre de mon plexus et sort de temps à autre, ou si elle s'en va et revient comme une femme méchante et belle. Ces jours-là, je voudrais crier, taper ou jouir comme une bête. Mais rien ne sort, je suis comme abattu, prisonnier de moi-même. Je reste sous l'eau jusqu'à ce que ma peau soit sur le point de craquer. Et je fais fondre le savon sur chaque partie de mon corps. Entre les doigts de pied, un à un, le creux de mes genoux, de mes coudes, le bas du dos. Mon anus, soigneusement l'orifice, ne rien laisser de douteux. Et ce cou qui supporte cette tête qui semblait être la mienne mais ne me ressemble plus quand je sors de ces heures sous une eau inconnue.

Je m'assieds dans l'angle de ma chambre pour que rien ne puisse arriver sans que je le voie. Et souvent j'appelle Laure. Si jamais Laure avait été une illusion, ça n'aurait pas été grave, c'eût même été la plus belle des solutions pour nos deux cœurs. Le timbre de sa voix, son léger défaut de prononciation m'enchantent et me ramènent doucement à la vie. Nous rions beaucoup. Et puis ça devient grave à un moment ou un autre.

As-tu trouvé le livre que tu cherchais ?

Pas celui-là, mais un autre.

C'est toujours comme ça la vie.

On n'obtient jamais ce qu'on veut, on peut avoir pire ou mieux, mais jamais ce qu'on veut.

Qu'est-ce que tu veux Laure ?

Et dans ses silences il y a tant d'espoir et de douleur, tant d'amour qui m'encombre que je termine par une pirouette et que je raccroche.

Je me perds ensuite dans les rues d'une autre ville que la mienne.

Il n'y a pas un pays du livre ancien, une librairie secrète où tout s'entasse comme un autodafé sans allumette. Chaque maison, chaque grenier, chaque cave est potentiellement un cimetière de bouquins, une sorte de purgatoire poussiéreux. Retrouver une édition originale, retrouver son chemin, savoir dans quelles mains un roman est passé. C'est en cherchant des histoires pour les gens que j'ai vécu la mienne. Personne ne veut un livre par hasard. Il n'y a pas de raison meilleure qu'une autre. Impressionner une fille, voir les annotations de la main de l'auteur, comprendre l'émotion de la version originale, le bruit de son papier, enrichir sa collection comme on se goinfre de gâteaux. Rien n'a de sens mais tout en fait. On trouve les livres quand on est prêt pour eux. J'ai entrevu ce que j'avais au fond de moi quand je ne comprenais pas la langue autour. C'est en pays étranger que je me suis devenu familier. Quand il m'a fallu dialoguer à l'intérieur, me contredire pour ne pas crever d'ennui, ces longues journées dans des bibliothèques sombres, ou le grenier d'un défunt, à fouiller sans relâche pour mettre la main sur le rêve d'un autre. Dans les pays loin des miens, je fréquente des prostituées. Marcel m'avait convaincu sans peine, là où Nonno avait échoué. Les putes permirent souvent l'exaltation de ma mélancolie. J'aime leur compagnie. Car les putes se ressemblent, elles ont le cœur débarrassé du désir, plus pur que celui des autres femmes. Comme tous les hommes sûrement, j'ai la naïveté de croire qu'elles prennent plaisir à coucher avec moi.

Je me sais beau garçon et je ne me jette pas sur elles, je leur demande leur prénom puis je les fais rire jusqu'à ce qu'elles me donnent leur vrai prénom, car c'est celui que je veux prononcer en les pénétrant. Je m'applique à les faire jouir. Je tente d'entendre qu'elles ne simulent pas. Une fois rhabillées, je leur demande d'attendre à ne rien faire dans le hall de mon hôtel, je les paye pour la nuit, pour qu'elles ne mêlent pas le foutre d'un autre au mien. Jacques se moque :

— Et c'est moi que tu traites de mégalo ? Mais elles simulent, comme avec les autres ! Tu crois quoi ? Parce que t'as une belle gueule soudain elles adorent ça ? Une femme de ménage ça lave pas avec plus d'entrain du marbre que du lino, mon pote.

Peu importe ce qu'il en disait, je suis certain d'avoir fait jouir des putes. M'en persuader m'a en tout cas toujours fait payer grassement et avec bonheur des dames aux bonnets et aux yeux généreux.

Si je devais garder une image du bonheur, ce serait les odeurs du monde de Monsieur Pierre. J'ai tenté plusieurs fois de raconter à mes enfants ce jardin extraordinaire. Nonno me prenait de moins en moins en vacances. Il ne voulait pas voir maman et un gamin seul l'encombrait. C'est du moins ce dont je me souviens, maman sans doute n'insistait pas pour aller à Porto Ercole et avoir la mer sous les yeux toute la journée. Des vagues qui vont et viennent, et nous narguent. Il se contentait de me faire des cadeaux luxueux mais qui ne m'étaient d'aucune utilité. Deux costumes trois-pièces pour mes douze ans, des chaussures de cuir, une sacoche, un portefeuille. Comme s'il s'attendait à ce que je parte travailler à la place de mon père. Ce n'était pas des cadeaux d'enfant, pas

171

de jouet, pas de peluche, pas de chocolat, ni même des choses qui eussent pu soulager ma mère de la charge de mon éducation. Fière comme elle était, jamais elle ne demanda rien, fière comme les gens dans le manque, tandis que Nonno devait attendre qu'on le sollicite du haut de son arrogance d'homme riche.

Maman s'agaçait ou me prenait en pitié lorsque je traînais mon ennui à la maison dans le vide des vacances scolaires. Je me mis donc à rendre plus souvent visite à mamie Flo qui avait quitté la Nièvre pour Bormes-les-Mimosas. De la Nièvre je me souviens, les fleurs artificielles dans un vase collant, graissé par les effluves de poulet qui sortaient du four voisin. Et les fleurs, les vraies dehors qui avaient l'air fausses parce qu'on ne sortait jamais les sentir. Il y avait un chien méchant comme le disait la pancarte, et le jardin lui était réservé. Je jouais de l'autre côté sous la véranda avec un tricycle et une remorque et je passais des demi-journées à trimballer des seaux d'une eau précieuse d'un côté à l'autre en parlant à des acheteurs invisibles mais avec lesquels j'avais des rapports très compliqués. L'un ne me payait pas, l'autre tentait de me refiler de la camelote. Mamie Flo me laissait tranquille et c'était joyeux. Mon monde imaginaire restait à la ferme quand je rentrais à Paris. Jamais il ne me serait venu à l'idée de trouver de l'eau précieuse là-bas ni de la revendre à des moustachus imaginaires. Mamie Flo criait « C'est prêt ! » et mon monde restait immobile dans la véranda. La toile cirée sale. Les heures à table. Papi qui mâchait bouche ouverte, qu'il fallait embrasser pour avoir le droit de se lever. Il avait la peau rugueuse comme une éponge morte de soif. Les dents de traviole. Il me dégoûtait. Il mourut à l'heure du dîner, chez lui, il était dix-neuf heures trente, après avoir ingurgité l'intégralité d'une poule au pot. Mamie me racontera ça toute sa vie. « L'intégralité, tu te rends compte ? Il avait même saucé le plat. Et puis hop, plus rien, il m'a laissé la vaisselle. Pas un sou. Juste la vaisselle sale. » Il l'avait laissée libre, cadeau merveilleux et inattendu qui me mena donc désormais à Bormes-les-Mimosas pour les vacances scolaires. Mon grand-père décédé, ma grand-mère se mit au service du Nez d'un parfumeur, comme femme de ménage. Monsieur Pierre était homosexuel et ma grand-mère en était folle. C'était un être érudit et fantasque qui portait toujours des chemises longues pour cacher le tatouage qu'on lui avait laissé à Auschwitz, sur lequel n'apparaissait disait-il aucun de ses chiffres porte-bonheur. Il prenait comme une chance d'avoir à son service une femme comme mamie Flo, qui buvait ses paroles et retenait tout pour me le restituer. Soudain, elle avait des choses à m'apprendre, cadeau merveilleux que lui offrait Monsieur Pierre au quotidien. Nous nous promenions dans le jardin qui surplombait la mer et mamie Flo me disait les odeurs que Monsieur Pierre enfermait dans les bocaux de son atelier afin d'en tirer les liqueurs précieuses de la maison Ralet à Paris.

J'ai des souvenirs de parfums comme on a des souvenirs d'amour.

Je montrais une fleur du doigt et mamie me répétait ce qu'elle avait appris. Là, les petites fleurs mauves qui tapissent les endroits oubliés du jardin !

— La violette, c'est comme une femme sauvage. On ne peut pas l'apprivoiser. Quand on l'a sentie une fois, son odeur met longtemps à nous être autorisée à nouveau, elle a pour particularité d'endormir les nerfs olfactifs. Plus tu as la joie de respirer son odeur moins tu sentiras après. Ses feuilles arrondies forment des cœurs. C'est la fleur des bonbons qu'on offre quand on est amoureux. Sens !

C'était une volute mièvre et écœurante comme un trop-plein de sucreries et puis si on voulait replonger la main dans le paquet, plus rien, la violette fuyait. Je tentais de défier le parfum-piège mais rien à faire. Pourtant j'y revenais chaque jour comme je reviendrais à ce genre d'amour plusieurs fois dans ma vie, je croirais que les gens changent, qu'on peut les aimer malgré eux. J'aurais dû apprendre plus de choses des parfums.

Quand j'arrivais du bitume de Paris au début du printemps dans ce Sud-là aux

175

accents de Méditerranée, que les peupliers noirs d'Italie se gorgeaient de senteurs, Monsieur Pierre lui-même me faisait grimper sur ses épaules afin que je saisisse les bourgeons tigrés au bout des branches luisantes, et les presse contre mon nez. Monsieur Pierre criait alors « Réglisse ! Miel ! Balsamique ! Vanille ! Propolis » au galop jusqu'à la fontaine puis me faisait glisser le long de son dos à l'aide de chatouilles qui me valaient des éclats de rire sur l'herbe où il m'aspergeait d'eau fraîche. Et là aussi, l'odeur du gazon tondu, la fraîcheur de l'eau sur ma peau, mon dos que quelques graviers gratouillaient doucement, tout est précis et me manque. Rien ne se retrouve ainsi à mon âge, car il y a trop de choses, les émotions se sont entassées, certaines rouillent, d'autres pourrissent, les odeurs n'y arrivent plus neuves, intactes. Les sensations sont des souvenirs ou des associations d'idées, de choses vues, d'espaces reconnus, jamais des découvertes.

La nuit j'avais peur dans cette maison de Provence aux airs troglodytiques. Les bruits de la journée prenaient la nuit tombée une tout autre signification. Ma grand-mère me racontait que le bois continuait à vivre après avoir été coupé. J'avais en horreur les feux de cheminée. Monsieur Pierre rit quand je voulus « sauver une bûche », m'expliqua que ma grand-mère se trompait et avec le soufflet à l'aide duquel il envoyait de l'air sur les pauvres branches hurlantes, il m'apprit le principe de la dilatation. Je me souviens de cet homme comme d'un passeur de savoir, d'Histoire, autant que d'odeurs.

Monsieur Pierre sentait le vétiver et le vin de Bourgogne blanc. Toujours impeccable des souliers au chapeau. Mamie Flo le regardait comme un héros.

Une fois, j'eus le malheur de me tenir à son couvre-chef car il accélérait et que je glissais de ses épaules. Il m'expliqua que son grand-père avait œuvré pour supprimer l'impôt sur le chapeau qui sévissait au début du siècle en Angleterre et qu'il était précieux pour un homme d'avoir un beau couvre-chef. Il fallait jadis au Royaume-Uni payer une redevance et la coudre dans son

177

chapeau, une contrefaçon de redevance pouvant être passible de la peine capitale. « Et quoi de pire que de se voir trancher la tête si rien ne la couvre ? » Monsieur Pierre ne souriait jamais et surtout pas lorsqu'il blaguait. Aussi je ne sus jamais si quoi que ce soit de tout cela était vrai, mais je me souvins de ne plus jamais me risquer à effleurer ses chapeaux.

Je me contentais de tendre les bras vers les arbres et les fleurs et de humer, les yeux fermés, les parfums qui s'offraient à moi. Les fleurs de châtaignier, lourdes, animales, troublantes, dont je compris plus tard que l'odeur était proche du sperme. Les aiguilles du sapin de Douglas qu'on frotte au creux des mains et qui enrobent la peau d'une sorte de citronnelle montagneuse. L'odeur sucrée, mielleuse, écœurante du sureau proche du sésame brûlé. Les feuilles de l'ailante dont les glandes, visibles à l'œil nu, une fois pressées transpirent une sorte de senteur de cacahuète.

Même le mélèze dont le bois souple et résistant une fois gratté à l'écaille laisse filer une résine à l'odeur de peinture me séduisait.

« Térébenthine ! » criait Monsieur Pierre puis il s'emballait comme s'il était mon cheval.

En fin de journée Monsieur Pierre faisait grincer son tourne-disque. Nous écoutions Trenet et il me faisait chanter à tue-tête. Nous dégustions un goûter préparé par ma grand-mère, des madeleines encore chaudes, du quatre-quarts. Monsieur Pierre buvait un citron chaud et il me racontait la vie entre les deux grandes guerres. Cette urgence d'être heureux, comme s'ils savaient qu'ils vivaient dans une virgule entre deux soifs de sang. Je lui demandais de m'en raconter toujours plus. Je posais des questions, sur les soirs doux, la longueur des robes des femmes et la politique. Pourquoi ? Comment les choses arrivent-elles ? Il me répondait du mieux qu'il pouvait et je me passionnais pour les mécanismes humains à grande échelle, ces erreurs qu'un monde entier prononce en même temps, la perte des peuples, le chemin de l'atrocité qu'un jour on prend tous en sifflant de bon cœur, au nom du bien, d'une morale réordonnée parce qu'il faut que le sang coule par cycle. Et ces trêves sirupeuses organisées de la même façon qui plébiscitent des Charles Trenet qui s'enchantent d'un jardin extraordinaire et de canards qui parlent anglais. L'idée que les êtres humains ne répondent qu'à des vagues nécessaires de ratio, d'humanité en marche qui tue les plus faibles et ceux-là, quoi qu'on en dise, sont souvent ceux qui réfléchissent. La vie est une ode à la brutalité. Le jardin de Monsieur Pierre comme celui de Charles Trenet, je l'ai su enfant, sont des bulles prêtes à s'envoler. Je buvais ses mots comme on tente d'emprisonner la violette, parce que je savais que rien ne durerait. La nostalgie que je ressens pour des mondes que je n'ai pas connus, j'ai du mal à l'expliquer. Je me suis toujours entendu avec les personnes âgées. Quand j'en serai une, je ne m'intéresserai pas à mes semblables, leur stock de mémoire est trop près du mien. Ce sont les livres ou la jeunesse qui m'attireront, des choses qui m'aideront à sortir du présent que j'exècre pour je ne sais quelle raison. Il ne me plaît que pour ce qu'il comporte de souvenirs en fabrication et de début de routes à prendre. Le printemps de mes douze ans, j'étais encore

gros mais pas très grand, une sorte de boule
d'enfant charmante, une brioche de petit
garçon. L'année suivante, je ne pouvais plus
grimper sur les épaules de Monsieur Pierre,
et ça me rendit très triste.

Quelques mois après le mariage de Laure, le froid a repris ses droits, le soleil a tapé toute la journée mais l'air est glacial. Je vais à son atelier : fermé, puis à la galerie à la tombée de la nuit. J'ai son foulard dans les mains. Je la regarde longtemps à travers la vitrine avant qu'elle ne me voie. J'aime sa maladresse, la féminité qu'elle ignore mais qui émane de chacun de ses gestes parce que ses fesses sont généreuses, que sa poitrine, moulée dans son pull de cachemire coquelicot, ondule, un peu, lorsqu'elle marche sans grâce calculée. Laure ne minaude pas, rien en elle n'est faux. Sans doute se décrit-elle comme un garçon manqué à cause de cela, pourtant ce n'est rien d'autre que la femme la plus réussie et la plus excitante qui soit... Quand elle lève les yeux sur moi, elle pousse un cri adolescent, puis elle voit le foulard, rit.

Et lorsqu'elle sort m'enlacer sans manteau, je le lui mets autour du cou. Nous marchons un peu, sans un mot important. Des bribes. Ça va? Oui ça va. Et moi? Oui. Je suis venu à pied, elle n'a pas le courage d'affronter le froid sur son vélo, j'offre de la raccompagner en taxi. Elle tente des gestes amicaux, un peu rudes. Elle ne se tient pas trop proche de moi, comme un animal en danger, qui teste et se dégage en mouvements brusques. Elle veut me faire comprendre que l'amour doit partir. Je hèle une voiture dans la rue et nous montons.

Le souvenir arrive comme une baffe. L'odeur du cuir chaud de la voiture. Mille fois refroidi par la nuit et tanné à nouveau par le soleil. Le volant en bois de Nonno. Les sièges bordeaux qui me brûlaient les fesses et le haut des cuisses sur lesquels nous jetions en hâte nos serviettes de plage. Et papa qui conduisait ce jour-là, et Sandra qui me regardait manger une glace et qui s'est précipitée langue tendue pour lécher le liquide vanillé qui coule sous le cornet et va tacher mon bermuda. Nous devions avoir neuf ans et nos émois précédaient ce que nous imaginions en faire. Cette odeur me donne envie d'embrasser Laure violemment, et je le fais. C'est hors sujet, je dois saisir sa taille et la rapprocher, elle résiste d'abord, mais je l'embrasse pour toutes les fois où je n'ai pas embrassé Sandra, pour le monde qui m'échappe où elle vit avec mon père. Le baiser est violent, il n'est pas bon. Il parle d'autre chose que de nous.

Je ne parviens jamais à me résoudre à l'idée que mes actes, mes choix, mes élans d'amour soient dictés par des sensations persistantes et pourtant enfuies de mes souvenirs, même par des gestes qui me précèdent et dont je ne suis que l'héritier, comme si en me transmettant sa peau et son nom, mon père m'avait aussi légué ses traumatismes, ses égratignures et ses amputations affectives. Ce qui voudrait dire que le passé est une fiction toujours en planque, un instant qui se renouvelle à perpétuité et en héritage. Le premier pas du premier homme qu'on tente de sauver, de reproduire, d'éviter. Nous ne serions que le miroir sale de l'acte originel. Et ce passé toujours présent empêcherait le

présent pur sans s'y additionner ni le sous-
traire à ses impératifs.

À l'instant où nous naissons, nous ne
sommes déjà plus des êtres neufs, nous avan-
çons souillés de l'avant, le nôtre et celui de
l'humanité que nous charrions comme un
torrent de péchés boueux et de rêves déjà
rêvés. Les êtres sont de plus en plus abjects et
de moins en moins libres d'être eux-mêmes,
si cela a jamais existé.

Laure attrape ma bouche quand même,
elle se relâche, projette son corps vers le
mien. Le baiser ne lui est pas adressé et son
cœur le sent mais son corps prend, ses lèvres
avalent les miennes et tentent de s'appro-
prier le baiser. Et je pourrais la laisser faire,
rendre ma vie plus simple. Mais en moi,
c'est raturé. Ce baiser n'appartient pas à
Laure et pour que tous mes baisers conti-
nuent à lui appartenir, je ne dois lui en donner aucun. J'enfouis mon visage dans son
cou et la prends dans mes bras. Ce n'est pas
le moment de l'aimer. Pas encore. Elle jette
son foulard sur moi comme un fil invisible
qui nous lie.

Les promesses

Je ne la verrai plus pendant des mois. Je rentre et je fais l'amour à ma femme, comme jamais, je plaque son visage contre le mur, elle adore ça. Et j'ai envie de prononcer le nom de Laure, de mettre mes mains sous son chandail rouge, mais trop tard.

Je suis entré dans le salon, un mois après mon retour de chez mamie Flo, un jour de juin 1969 où les profs faisaient grève. Un de mes camarades chez qui je passais habituellement mes jeudis après-midi ne vint donc pas du tout.

Je me décidai à rentrer chez moi, heureux de pouvoir rester dans mon silence. Les amis souvent m'épuisaient et l'adolescence qui pointait ne convenait pas à mon tempérament.

Maman se faisait baiser sur le sol du salon. Elle était nue en bas. En haut, elle portait un pull en mohair à même la peau, trop chaud pour la saison. Ça la faisait suer à la racine des cheveux. Le type n'était pas sorti d'elle quand j'ai poussé la porte. En levrette, « mais t'es pas chez Hector ? » j'ai répondu que non et je suis allé dans ma chambre. Et j'ai pensé qu'elle devait avoir mal aux genoux, comme ça sans rien pour la protéger sur le parquet. Je ne sais pas s'il l'a terminée.

Le soir, ma mère a frappé à la porte.

— Alexandre tu veux des spaghettis ? J'ai fait tes préférés ! Ceux de papa.

— Je m'appelle Sandro. Et tu les fais toujours trop cuire. Nonno a raison !

Je n'ai pas ouvert ce soir-là, je me suis retenu de manger. Ensuite, je n'ai plus eu faim pendant trois mois et j'ai pris dix centimètres. Les gens ne m'ont plus reconnu. Vraiment plus. J'étais devenu un étranger en trois mois. Je souriais à la boulangère qui m'avait toujours tapoté la tête et offert des bonbons, elle ne levait plus les yeux sur moi. Les filles, en revanche, celles de mon âge, ont commencé à baisser les yeux. J'étais devenu beau. Très beau. Mes cheveux noirs contrastaient avec une peau blanche et des yeux verts. Maman me fixait et je sentais dans son trouble que je me mettais à ressembler fort à papa. Elle observait la réaction des femmes à mon contact, un peu jalouse, un peu fière.

Les promesses

Réaliser qu'il peut provoquer l'émoi ou faire rougir des joues est l'une des sensations les plus fortes de l'existence d'un jeune homme. Faire baisser les yeux d'une femme, belle ou non, a longtemps provoqué chez moi une érection immédiate et durable.

C'est un déjeuner habituel. Tous les dimanches nous nous retrouvons avec la mère de Bianca, la mienne et nos enfants. Nous mangeons du poulet, de la salade, parfois des frites. Nous buvons du vin rouge. Une tradition. La nappe vient d'un voyage à La Réunion, blanche et brodée de jolis fruits. Mes enfants bien habillés, ma femme toujours menue, les cheveux propres. Rien ne laisse présager le dégoût qui va s'emparer de moi. Pourtant, c'est précisément ici qu'il s'installe. Il naît avec un os dans la bouche de ma femme. Un os d'aile de volaille. C'est toujours la partie qu'elle prend afin de manger très peu mais de se donner l'illusion qu'elle dévore. Elle garde longtemps en bouche ces petits morceaux qu'elle doit sucer pour en ôter la chair. Je dis que je ne comprends pas pourquoi les poulets ont des ailes si ce n'est pas pour voler. Ça les fait rire et dans leurs bouches ouvertes, tout n'est pas mâché. Leurs doigts portent les traces de peau grillée, la sauce brune s'est collée. Ma mère se tient un peu en retrait. Elle mange de moins en moins, souffrant de graves soucis au côlon. Maman a cette élégance du bonheur constant. Jamais elle ne se plaint de rien et affiche un sourire permanent qui me fait penser que je ne l'ai sans doute jamais vue sourire. Elle m'a toujours semblé absente de son bonheur.

La mère de Bianca aussi fantomatique que sa fille a bon appétit. Ces femmes sont nées avec un air maladif mais possèdent une santé de fer. Il n'y a rien à contaminer. Tout était fait en dur, comme la forteresse imprenable du troisième petit cochon : des femmes-briques. Je regarde alors ma fille et je me dis qu'elle suit la même voie. Clara a onze ans et déjà les seins qui poussent sous son tee-shirt à motifs. Sa peau n'est pas couverte de boutons comme la plupart des jeunes filles à la puberté précoce, mais elle est grasse comme la chair du poulet. On dirait qu'elle a saucé le plat avec sa gueule.

Mon fils Nicola est encore mignon mais tous ses gestes m'ennuient. C'est un gosse sage. Il ne me surprend jamais. Il est bon élève. Il n'a d'aversion pour rien, ni de passion. Il aura plusieurs bons camarades, pas un seul ami à la vie à la mort. Il trouvera des filles mignonnes mais je ne le verrai jamais se tourmenter pour l'une d'entre elles. Il ne connaîtra jamais les vents contraires, il navigue dans la bonne direction.

Leurs mâchoires en mouvement, qui broient, qui rient, qui s'ouvrent et se ferment. Discuter avec lui ne m'est jamais désagréable mais il ne m'en reste rien. Pas une charmante anecdote. Et ce sera pareil quand il vieillira. Dans un gouvernement, il pourra être ministre des Loisirs. On aura oublié son visage et son nom. Ce sera une personne de plus. Je ne place en lui aucun espoir de drogue, d'excès en tout genre, pas même de tentative de suicide ou de fugue. Si nous avions été dans la même classe, je lui aurais sans doute cassé la gueule, pour le principe et pour savoir si une autre personne plus intéressante se cachait dans ses tripes. Dans la conversation, il vient d'employer

l'expression « une bonne nuit de sommeil ».
À dix ans ! Bianca lui suggère un petit dessert et ma fille lui demande une petite tisane.
Tout est petit, étriqué. Ils se font des petits
sourires. Ils mettent des petits paletots sur le
dos les jours de froid. Et je n'en peux plus.
J'ai les mâchoires crispées, perdu sur une
terre étrangère avec des gens qui auraient
dû ne faire qu'un avec moi, prolonger ma
chair. Mais me voilà paralysé.

— Tu veux un petit quelque chose,
Sandro ?

C'est à cet instant que je sais qu'ils sont
de la même famille et que je suis tout seul.
Demain, je fixerai la date du divorce et j'en
ferai part à Bianca. Je dirai oui à tout, je
veux juste me sortir de ce piège dans lequel
je suis pris avec des animaux qui ne sont pas
de mon espèce. L'amour nous a quittés il
y a plusieurs années déjà. Mais nous avons
longtemps prétendu ne pas avoir entendu
la porte claquer. Bientôt, mon nom ne sera
plus le sien. Depuis l'hiver dernier, Bianca
fait les gestes qui me supplient de dire les
mots. Comme une hôtesse de l'air mime les

mouvements à faire en cas d'urgence. Voici les issues de secours, sors, ne reviens plus ! Tu mourras peut-être en les effectuant mais nous mourrons sûrement si tu ne fais rien. Elle m'a poussé à sortir voir du monde sans elle, elle a cessé de s'épiler les mollets. Dormi dos à moi. Laissé planer des silences, plus même l'effort d'une dispute. Elle m'a confié les enfants. Elle est partie en vacances avec des copines.

Aujourd'hui, j'ai quarante-trois ans. Jour où je divorce de ma femme, semaine où je dépasse l'âge de mon père.

Depuis deux jours, mes mains ne supportent plus l'eau. Même un instant sous la douche suffit à en creuser les lignes de vie. Elles me blessent, elles sont presque violacées et ma peau semble proche de craquer. Les chemins de mes mains saignent. L'eau les empêche d'exister, comme si le destin avorté de mon père tentait de supprimer le mien. J'ai quarante-trois ans, ce soir. Je lui survis. Je m'enfonce dans un bain dont l'eau a refroidi. Je la laisse me saisir. Comme la mort l'a fait avec mon papa. Je n'ai pas de souvenirs de lui. Je les ai recréés avec les photos que maman m'a laissées. Son visage en mouvement, sa voix, tout s'est perdu quelque part en moi. Sûrement il m'en reste des traces ailleurs que dans le miroir mais comment savoir où, lesquelles ? Comment retrouve-t-on ses souvenirs ? Pourquoi un parfum, un goût, vous saisit-il et vous réveille-t-il parfois ? Dans quelle cache puis-je retrouver mon père ? Qu'ai-je mal respiré, mal regardé ? Je me demande si j'ai vidé mes réserves de joie et de chagrin, si la vie ne sera plus que moyenne. Rien. La tiédeur du temps qui ne passe même pas doucement. Ni urgence ni ennui.

L'eau est froide à force de me souvenir, à tant imaginer. Je ne parviens plus à en sortir. Je sais que chacun de mes gestes sera un supplice. Je pensais m'arrêter là, comme papa. Me fondre en l'eau.

C'est la voix de Nicola qui m'oblige à faire avancer le cours du présent. Il n'a pas encore dix ans, comme moi. Cet âge que j'aurai toujours. Ce petit garçon qui court avec ses méduses en plastique sur le chemin de cailloux pour dépasser son père.

— Papa, on t'attend !

L'eau du bain, je la croyais faire partie de moi, n'être qu'un tout, comme un bloc de marbre. Une sculpture de Marat. Pourtant, j'en sors, je me sèche. Il faut que je continue. La suite m'appelle. Je ne peux penser qu'à Laure. Qu'à la vie que j'ai laissée passer.

Quand le tribunal nous a attribué une date, Bianca m'a demandé si j'étais certain de ne pas vouloir la déplacer.

— À moins que ça te fasse plaisir au point que ce soit un cadeau d'anniversaire ?

Il a été convenu de ne rien changer. Je vais déjeuner avec les enfants, souffler mes bougies, puis ils iront au cinéma avec la sœur de Bianca et leur mère et moi nous signerons les papiers qui nous permettront de voyager au loin.

J'ai réservé dans une brasserie où j'ai mes habitudes. Je n'aime pas le changement.

— J'arrive Nicola !

— Tu te fais beau, papa ?

Je n'ai jamais fait de sport mais mon corps est sec comme celui de mon père. Mes muscles saillent encore même si ma peau semble un peu se relâcher. Je pense être un bel homme. Trop grand, j'ai tendance à ne pas me tenir droit mais aujourd'hui devant le miroir, je me redresse. Je n'ai pas eu d'érection depuis un moment. Même mes matins semblaient endeuillés. J'enfile un pantalon et une chemise. Je demande aux enfants de descendre garder la table et commander, j'arrive.

Je compose le numéro de Laure que je me surprends à connaître par cœur. Nous ne nous sommes pas parlé depuis un an. Je fixe le rendez-vous vite. Nos voix sont celles de gosses pris en faute. Elle me dit qu'elle a plein de choses à me raconter. J'abrège, je veux la voir, la respirer, l'embrasser à pleine bouche. Ce jeu a assez duré. Je veux vivre cette histoire désormais. Nous nous verrons en fin de journée, dix-huit heures.

Le déjeuner avec mes enfants est agréable. Je dessine sur les nappes des gens de la famille et ils crient leurs noms dès qu'ils les reconnaissent. Hilares du gros ventre de leur grand-père paternel, de l'absence de bouche de ma mère, de la tenue d'oncle Picsou que j'attribue à Nonno.

Je souffle une bougie sur une tranche de vieux comté. Le chef sait que j'adore ça. Nicola rit de mon gâteau qui pue.

198

On entre dans une pièce aux murs tissus marron sale, qui détonne avec le reste du palais de justice. Je suis déçu. La salle est petite. La juge est moche. Bianca n'a pas fait d'effort vestimentaire. Je la regarde comme un mari, pour la dernière fois. Elle reste la mère de mes enfants. C'est ce que disent les hommes bien, je pense. Nous nous sommes mis d'accord, nous partageons un avocat moustachu. On entre comme pour se faire refaire un passeport dans un bureau sinistre. Ils me demandent quels sont les griefs que j'ai contre Bianca et quels sont les siens. Rien, nous répondons. Pas de maltraitance. Pas de vaisselle brisée. Rien. La juge te demande solennellement : Madame, voulez-vous divorcer ? » Et Bianca tu réponds « oui ». Des années après ce « oui » qui t'a liée à moi. Un oui à l'envers, qui veut dire non, qui veut dire que tu me refuses à toi désormais. Moi je chuchote mon oui parce que, à ce moment-là, je suis triste, battu, en échec.

Il est stipulé dans le jugement que les conditions seront revues lorsque j'hériterai de mon grand-père. Il est assez clair que si Bianca veut bien se séparer de moi, elle ne compte pas abandonner cet investissement d'espoir en la mort de Nonno. Et dire que j'ai aimé cette femme ! L'amour est le Dieu des mauvais choix. Pourtant, je voudrais la posséder une dernière fois maintenant qu'elle m'échappe. Il pleut des cordes sur la place Dauphine et j'ai envie de me pendre, de me pendre à son cou. Nous courons jusqu'aux quais de Seine. Elle s'excuse de ne pas avoir apporté de cadeau d'anniversaire, elle trouvait cela hors sujet. Je l'embrasse chastement sur la bouche, je lui ouvre la portière d'un taxi qui s'éloigne, elle ne se retourne pas et je marche. Les cheveux mouillés, j'entre dans un café pour touristes avec la vue sur la Samaritaine et je commande un chocolat chaud. J'ai deux heures d'avance sur la vie qui m'attend. Entre Bianca et Laure, ce temps-là est à moi.

Pendant la Coupe du monde 1982, malgré Platini, je me suis senti tellement italien qu'il me parut clair que je menais la mauvaise vie. La Squadra Azzura était mon équipe. J'avais proposé à Bianca de partir vivre à Rome avec les enfants. Nonno s'en serait réjoui et nous aurions vécu comme des rois. J'étais même prêt à rentrer dans l'entreprise familiale mais Bianca refusa, elle ne voulait pas être loin de sa mère et puis « Rome », disait-elle, « C'est la province ! » Un autre moi vit là-bas et n'a pas divorcé. Ma peau est quelque peu hâlée toute l'année, Bianca sourit et parle désormais la langue de mon père. Ce n'est pas comme un rêve récurrent mais comme une autre vie qui avance et peuple mes nuits avec son lot de joies et de peines. Là-bas, ma mère est morte depuis un an, car, loin de Paris, je ne l'ai pas sauvée le soir où elle a fait une attaque. Je produis une huile d'olive délicieuse dont Nonno raffole. J'en connais le goût particulier très frais qui chatouille la gorge.

Vers l'âge de huit ou neuf ans, je me suis mis à paniquer car j'ignorais quelle réalité était la bonne. Je m'endormais et mes rêves, loin de se peupler de monstres, prenaient les contours d'une autre vérité. Je l'exprimais avec mes mots d'enfant. Maman me disait : je suis là, tu me vois c'est bien ta chambre, c'est bien Serge ta souris, tu reconnais son odeur ? Mais dans mes autres mondes, j'avais l'impression d'être chez moi aussi. J'avais Serge aussi, et même des jouets que je retrouvais souvent et qui me manquaient dans cette vie-là. Seul papa était capable de me rassurer et de déjouer les faussaires. Il criait :

— En position de torture ! Il te chatouille, ton faux papa ? Qu'est-ce qui te fait rire, est-ce que tu entends ton rire ? Tu l'entends résonner comme ça ? Rebondir dans la pièce ? Hein ?

La joie qu'il insufflait me sauvait. La vraie vie au fond, c'est là où l'on veut rester ; vers la fin de la mienne, je me mettrai à collectionner les retranscriptions de ce qu'Aragon nomma « la vague de rêves » sur laquelle avaient surfé les surréalistes à la fin de l'année 1922. Man Ray prit des clichés étonnants de ces endormissements compulsifs provoqués par les écrivains eux-mêmes qui plongeaient dans des sortes de transes à mi-chemin du sommeil. Un peu partout, dans les cafés bruyants germanopratins, dans un dîner, un salon, ils laissaient la fatigue et l'oubli s'emparer d'eux. Il s'agissait d'autoriser l'inconscient à surgir avec fracas et dicter son bon vouloir dans un langage entre le délire et la transe. Desnos était l'un des plus convaincus et des plus doués. Comme s'il s'était lui-même inoculé le virus de la narcolepsie, il s'endormait un peu partout. Breton également, et c'est dans cette limite, cette grande plaine entre éveil et sommeil, qu'il écrivit *Nadja*.

Je crois m'être endormi, la tête sur mon bras devant mon chocolat au lait froid, mais je me souviens de tout. La pluie a cessé quand je quitte le café. Il ne fait pas encore nuit. Octobre a pris des couleurs de mai. L'été qui traîne, qui revient à la charge. Je traîne aussi un peu à éteindre une cigarette pour monter dans un taxi. J'arrête de fumer et puis je reprends. Je trouvais que ça avait de l'allure, pour mon anniversaire dans mon manteau noir. Je me rends au jardin du Palais-Royal. Elle m'attend déjà. C'est sûr, elle est déjà là-bas et ce jour-là, je pleure je pleure dans le taxi. La voix familière du chauffeur m'explique pourquoi je dois arrêter de pleurer. Je regarde sur les quais de Seine. Une lumière douce sur la conciergerie. Quand je lève les yeux sur le rétroviseur pour lui dire de garder la monnaie, je m'aperçois que les yeux du chauffeur de taxi sont ceux de mon père. Que c'est mon père. Il me sourit, je sors de la voiture. Je fais quelques mètres et je jette mon Kleenex dans une poubelle devant la Comédie-Française. Quand je me retourne, il n'y a plus personne. Je marche vers Laure.

L'amour est un instant qu'on tente de prolonger. En me privant du corps de Laure, j'ai mis mon sentiment sous cloche, pendant des années, comme un enfant garde un bonbon tandis que les autres dévorent les leurs. Et quand tout le monde en a fini, alors, il ouvre doucement le papier, et il prend le temps de le savourer sous les regards jaloux. Le bonbon n'est pas un meilleur bonbon mais la patience l'a rendu unique. Je n'ai pas vu Laure depuis des mois, peut-être même une année. Et en m'avançant je me rends compte que le bonbon n'est plus dans ma poche, qu'un autre me l'a pris pendant que j'en savourais l'idée. Ma poche est vide désormais. Laure s'avance vers moi. Elle est précédée d'une poussette dans laquelle son nourrisson ressemble à un autre homme que moi.

— Ça va ?

— J'ai divorcé.

Elle me répond qu'elle est désolée pour moi et des ongles de sorcière griffent tout son cœur. Elle voudrait que son enfant disparaisse, que son ventre soit neuf, que la vie ne soit pas une suite d'envies décalées, de corps qui s'emboîtent mal et d'idées en désordre.

Laure m'a apporté un livre, emballé avec soin dans du papier cadeau.

— C'est une édition originale, me dit-elle.

La couverture de *Si par une nuit d'hiver un voyageur* d'Italo Calvino justifie les larmes que je fais couler par anticipation. Laure parle parce que le silence entre nous hurle trop de choses.

— Tu connais ce livre, non ?…

— Je ne l'ai jamais lu.

— Alors je suis heureuse… C'est une histoire d'amour compliquée. Un puzzle qui représente un néant brouillon, ou la carte d'un pays qui n'existe pas, qui change tout le temps de contours. Un livre inclassable. Avec des avions, des ascenseurs. Où tout le monde cherche à savoir qui a commencé.

Qui écrit l'histoire ? Qui est l'écrivain ? De quel début vous souvenez-vous ?

— Ça me parle, dis-je dans un sourire.

— De quel début tu te souviens ?

— D'un début qui n'en finit pas de me donner envie de lire la suite.

— Quelle suite ? Quelle suite Sandro ?

C'est trop fort, trop plein de chagrin, on s'est brisés à force de ne pas se prendre dans les bras l'un de l'autre. Je tends une main maladroite vers sa joue.

Elle tourne le visage.

— J'aurais voulu qu'il soit de toi, dit-elle en caressant les rares cheveux de son petit endormi.

Toutes ces choses dont on parlait, elles l'avaient bousculée à force de ne pas exister. Notre amour qui menait ses rêves mais n'a jamais habité sa vie.

Il faut qu'on parte vite, qu'on éloigne le gâchis qu'on sera ensemble. Qu'on récupère nos chemins de traverse. On le sait. Mais on préfère encore le silence qui nous entaille un instant de plus.

À bientôt alors.

À bientôt Laure.

Laure s'accroche à la poussette comme si elle maintenait ensemble des morceaux de vaisselle cassée. Elle ne se retourne pas pour me regarder parce que ses joues sont trempées par les larmes des miennes, c'est ridicule. Nous n'avons rien échangé vraiment, et puis elle aime son mari. Non ? Pourquoi se sent-elle si sale et moi si con ? Le bitume avale à nouveau nos pas, nos peaux, le temps enveloppera nos sentiments de cellophane et limera tout doux les griffes de la sorcière. C'est ça, c'est ce qu'il faut se dire. Mais je ne me le dis pas. Je m'assieds sur un banc comme on s'effondre et les taxis passent sans se soucier de moi.

Aujourd'hui, j'ai quarante-trois ans. Je suis resté des heures dans un bain. J'ai quitté ma femme et celle que j'aime ne peut plus rien m'offrir. Je suis seul.

Combien de temps laissera passer Bianca avant de se faire baiser par un autre ? Y mettra-t-elle du cœur ? Gémira-t-elle ? Lui poussera-t-il des seins ? Après combien de chagrins a-t-on le droit d'aimer à nouveau ? Quelle est la durée légale après un divorce ? La veille ? Le lendemain ? Des années après ? Quand mon père mourut, maman ne mit pas longtemps à s'étourdir du corps d'autres hommes et ne me le cacha pas. Notre appartement se transforma en longues nuits de fêtes. J'avais le droit de rester tard écouter les conversations des adultes et m'endormir épuisé sur le canapé. Le lendemain, en revanche, il n'était pas question de rater la classe. Ma mère me réveillait de caresses dans les cheveux. Parfois, dans les brumes de mes rêves, je lui répondais en italien que j'étais fatigué et je regrettais aussitôt l'irruption brutale de mon père dans ses yeux.

Je savais qu'elle pleurait ces matins-là, malgré le soin qu'elle prenait à tricoter de la joie autour d'elle.

La musique était toujours ici comme une autre personne. Le silence n'avait pas sa place chez nous. Rien ne devait signifier une absence.

De très bonne heure, ma mère faisait grésiller Chuck Berry, Miles Davis, John Coltrane sur des vinyles brillants qu'un ami lui rapportait de Chicago. Maman me servait mon petit déjeuner, m'observait mâcher, déglutir avec un amour constant. Elle allumait sa clope et j'aimais tout. L'odeur, le geste. Elle me racontait des anecdotes d'adultes, des blagues politiques et elle riait, riait. Parfois, complice, elle me marmonnait dans un sourire : « On fait trop de bruit, Serge dort. » Serge avait onze ans, comme moi. C'était une peluche de souris que papa avait posée dans mon berceau le jour de mon arrivée en ce monde.

Je me souviens du rire de maman dans une odeur de cigarette. Tel un grelot qui tintait les heures de nuit. Je m'endormais dans un coin de sofa. Les conversations des adultes me berçaient et les rires à rythme régulier. Comme des secousses de désir. Le diagramme d'une idée qui montait, d'une pulsion qui annihilait la discussion tout en animant les voix. Aujourd'hui, les visages se mêlent dans ma tête. Je flanque des moustaches sur des faces vagues et des yeux de femmes. La seule chose qui est restée précise, c'est le rire de maman dans une volute de fumée. Les spaghettis aussi. Les grandes marmites de spaghettis qui alimentaient les amis de passage. La plupart s'étaient battus pendant la guerre et en avaient gardé une urgence de vivre et les yeux en chagrin. Maman faisait la sauce de papa, elle s'appliquait à reproduire ses gestes exacts, à couper les oignons comme lui, à peler avec soin les tomates, à les couper menues, à cuire les pâtes très *al dente*, presque encore dures puis à les jeter dans l'huile d'olive chaude avant de les napper de sauce. Quand nous les mangions nous nous regardions, toujours nostalgiques mais joyeux, il était avec nous.

Aujourd'hui encore j'ai gardé chaque mouvement de papa, faire les pâtes c'est garder le lien avec lui, l'imiter comme le font les enfants pour devenir des hommes. Le basilic frais qui imbibait ses doigts et que je frotte aux miens. Je coupe les oignons à son rythme, j'entends encore la musique du couteau sur la planche. Je la reproduis. Et j'ai une excuse pour en pleurer.

J'ai eu différents pères d'adoption. J'ai singé les adultes que je choisissais pour un geste ou une phrase que je trouvais élégante ou géniale.

Mon père est parti trop tôt pour que je lui vole consciemment autre chose que ce que maman voulait bien m'en dire. Parfois je faisais un geste qui rendait maman fière et triste, elle y voyait papa et elle se souvenait de son amour pour lui. Nonno me faisait peur et assez vite j'ai réalisé que c'était un sale type. Quant au père de maman, j'en ai peu de souvenirs. Un seul marquant, en dehors des heures de repas traînant cuisinés au saindoux. Papa les voyait pour la seconde fois. Nous étions allés à Varennes-Vauzelles où ils vivaient dans une Nièvre pauvre et triste. Maman s'excusait du paysage dans lequel elle était née. Il flottait sans cesse. J'avais cinq ans. Mes grands-parents maternels s'étaient rencontrés à l'Assistance publique. Deux enfants battus. Ma grand-mère avait dix-sept ans et mon grand-père quinze. Ils se sont embrassés, dépucelés, et ne se sont jamais quittés. Deux êtres mous, dépourvus de la moindre agressivité, deux machins de guimauve à qui la vieillesse allait comme un gant.

— Ils ont toujours été vieux, mes parents, me disait maman.

Pourtant, sa mère l'avait eue à vingt ans. Au même âge, maman s'étonnait du sentiment de colère qui arrivait en elle, il ne lui était pas familier, elle avait tenté de le dompter pour être une fille normale, pour être comme ses géniteurs. Et comme il se devait, pour ses dix-neuf ans, elle les avait giflés. Elle ne les avait revus qu'enceinte de moi avec son mari riche et beau. Ça devait être sa vengeance, elle l'avait vécu comme une trahison. Désormais, elle appartenait à un monde auquel ils n'avaient pas accès. Ils la regardaient de loin, avec respect. Et ce respect était une porte claquée en pleine figure. Jamais plus elle ne serait une des leurs. Le porc était gras et un liquide blanc sortait de son groin. Comme de la morve. Ou l'écume qui déborde de la chair d'un condamné. Ça foutait les jetons. Papa me tenait par les épaules et papi avait ligoté le cochon. Papi jouait avec un couteau, il portait des gants. Le porc poussait des cris affreux qui m'obligeaient à me boucher les oreilles de mes deux petites mains.

— Viens l'embrasser. Pour lui dire au revoir.

Je ne voulais pas. Papi insistait. Il me traitait de mauviette en regardant mon père dans les yeux. Alors mon père m'envoya. Embrasse-le, qu'on en finisse. J'avançais, il parvint à se libérer une patte au même moment et paniqué m'envoya un coup de sabot fendu dans la mâchoire. Je saignais. Ma lèvre était déformée. J'avais une dent enfoncée. Je ne criai pas sous le choc et sans doute parce que les hurlements de la bête empêchaient d'y ajouter quoi que ce soit. Maman, qui avait son diplôme d'infirmière bien qu'elle ne pratiquât pas, me récupéra sans hurler mais je lisais dans ses yeux de la panique. Se dire que son fils serait sans doute

déformé. Il n'y avait rien pour me désinfec-
ter à la ferme. Maman but donc une gorgée de whisky et me donna un baiser sur la
bouche en y faisant couler un peu de liquide.
La douleur et l'ivresse m'endormirent. Je
me réveillai quelques heures après dans la
voiture. Papa ne voulait pas rester et il ne
revit jamais la famille de ma mère. J'ai oublié
les gestes de mamie Flo ce jour-là. Ils sont
confondus avec ceux de ma mère, comme
une ombre. Papi, lui, pleurait et se désinfec-
tait de son côté avec un autre alcool. Jamais
il n'avait fait aucun mal et ce qu'il avait subi
petit lui revenait en mémoire, et il n'avait
pas la force de se protéger de ces coups-là,
invisibles, répétés, réveillés.

Une fois ma dent de lait tombée, mon
sourire redevint beau comme celui de mon
père mais j'en ai gardé jusqu'aujourd'hui une
balafre sur la lèvre que les femmes semblent
avoir envie de soigner de leurs bouches. On
m'a dit tant de fois que c'était séduisant. J'ai
fini par le croire. Ça fait partie de moi. La
défiance de mon père et son incapacité à
ce qu'on ne le croie pas à la hauteur d'une

situation, fût-elle stupide et dangereuse. Ce trait de son caractère est imprimé sur ma gueule.

Avant de me donner du charme, la balafre m'a valu des emmerdes. J'ai été désigné souffre-douleur de l'école plusieurs années de suite. Maman me disait que j'exagérais. J'avais quand même des copains. Hector c'est ton copain ? Oui, oui parce que je n'avais pas le choix. C'était mon copain par défaut parce que personne d'autre ne voulait de nous. Il avait la morve au nez et il riait pour des choses stupides. J'ai été un petit garçon dodu. Je ne palliais pas un manque affectif, je n'avais pas de problème d'hypothalamus, je ne tentais pas de combler la place vide laissée par mon père, j'aimais juste manger. Ma mère m'interdisait de me pencher au-dessus du balcon, de courir trop vite, trop loin, de parler aux inconnus, de la toucher avec mes mains sales, de rater l'école, mais jamais de manger. Je pouvais engloutir tout ce qui me faisait envie, fleurs et insectes compris. Je ne sais pas si on me frappait parce que j'étais gros, je pense qu'on m'aurait frappé de toutes façons. Les gens cognent sur ceux qui le veulent bien, ceux qui sans le réaliser le demandent : on choisit ses bourreaux, on baisse les yeux devant eux, on les autorise à cogner. La graisse qui m'enrobait a protégé mes os de plusieurs fractures. Et j'aurais voulu que papa vienne à la sortie, regarde ces sales gosses dans les yeux et leur dise stop, stop, si vous tapez mon fils je vais massacrer vos petites gueules de nabots. Mais rien, au lieu de cela il m'apprenait à taper dans mon oreiller, il me montrait des prises d'arts martiaux que je n'aurais jamais essayées, de peur de glisser et que les petites à couettes me montrent du doigt et hurlent de rire, comme des alarmes de honte. J'ai peur du rire des femmes comme de celui des filles qui m'ont poussé dans le bac à sable, qui se sont chuchoté des choses à l'oreille et ont ri en me regardant. Et sûrement c'est ce rire-là qui m'a mis en colère en chaque femme, ce rire que j'ai cherché, que j'ai provoqué pour pouvoir m'en aller vers un être sans rire moqueur, plein de sourires doux, un être qui n'existe pas. Ou Laure, peut-être Laure, si j'ai le courage d'essayer l'amour.

Je suis seul chez moi. Bianca et les enfants ont un nouvel appartement que je n'ai pas vu mais dont je paie le loyer. Nous sommes mardi. Je dois rejoindre Louis. Jacques est en voyage d'affaire de cœur. Je ne peux penser qu'à Laure qui s'éloigne entraînée par cette poussette. Louis me raconte ses problèmes, l'Éducation nationale en laquelle il n'a plus foi, les élèves qui lui parlent mal. Puis il s'excuse de tout, il revient à moi une fois de plus, incapable d'une once d'égoïsme et je le laisse faire, j'accepte sa culpabilité parce que je veux faire étalage de moi. Il me demande si ce n'est pas trop difficile ce divorce. Je lui réponds que c'est ce qui m'est arrivé de mieux, que j'ai l'impression de sortir de taule. Et Laure ?

Louis me fait quitter la table après le dessert. Un enfant ? D'accord elle a un enfant. Mais ça ne pèse rien dans une histoire d'amour.

Pourtant si, ce serait des vrais pleurs, des discussions avec des mots qui sonnent et qui tranchent le vide.

— C'est la réalité, Louis.

Mais il m'ordonne de l'essayer la réalité, il me fout à la porte du restaurant, il commande un autre verre, il se réjouit pour moi. Alors emporté par son élan, j'en fais le mien, je marche plus d'un quart d'heure. Je prépare les mots dans ma tête et je regrette mes lèvres gercées et rougies du vin qui m'enivre malgré l'air frais. Je l'appelle de la cabine téléphonique pour lui dire que je suis en bas de chez elle, que je veux la voir, qu'elle me donne le code.

— C'est moi, dis-je, Sandro! Je ne comprends pas son silence. Puis :

— Mon mari est là.

D'ailleurs j'entends sa voix grave qui entre et lui demande qui est au bout du fil.

— C'est une erreur, dit-elle doucement.

Mais duquel d'entre nous parle-t-elle?

Laure raccroche. La fenêtre de son appartement s'éclaire. Elle me regarde dans mon petit habitacle ridicule. Trempé jusqu'aux os. Je lui fais un signe de la main. Pathétique. Cassé dans mon geste héroïque. Des gens normaux avec des femmes et des maris et des élans brisés. Des gens de plus. Tous les mêmes et nous avec. Alors, Laure me regarde longtemps puis elle ôte d'abord ses bas qui ont la même couleur que sa chair, comme si elle épluchait sa peau, pour m'en montrer une neuve, juste pour moi. Et sa jupe, elle retire sa jupe. Elle la fait glisser, elle est d'un beige rosé, comme une perle, elle l'éloigne d'un coup de talon. Elle ne se déchausse pas pour que je continue à voir le plus possible d'elle. Sa chatte est nue, j'y vois un petit triangle de poils clairs. Ses jambes blanches se tendent lorsqu'elle fait glisser son chemisier et se déshabille pour moi complètement. Je vois ses seins ronds, pleins. Je sors de la cabine, sous l'orage. Je veux lui dire que moi aussi je prends des risques, je veux lui montrer ce qu'elle est pour moi, la pluie me nettoie de toutes les choses qui ne sont pas ce soir, qui ne sont pas elle. Je ne la quitte pas des yeux. Elle ne joue à rien. Laure est à moi, trop loin, derrière une vitre avec un autre homme, mais c'est à moi qu'elle appartient. Nous nous regardons et Laure ferme doucement les rideaux, comme on borde un enfant fatigué. Je crois qu'elle me sourit.

— Non!

La réponse fut sans équivoque, Nonno ne me laissa pas vendre l'un des deux Pillone qu'il possédait. Ce livre appartenait à son père et appartiendrait à mon fils. Mon grand-père m'humilia ensuite, il me traita de libraire poussiéreux, de sale épicier. Il me cria que j'étais le déshonneur de cette famille. En mon for intérieur, je me promis qu'à la mort de ce vieux con, j'offrirai ce livre à Jean-Bob des Clérimois. Je lui apporterai en personne dans son château et nous rirons au coin du feu avec son nain tandis qu'il s'extasiera sur cet exemplaire en parfait état.

Dans cette salle d'attente, j'ignore que Nonno ne mourra pas avant ses quatre-vingt-seize ans, Jean-Bob aura déjà les os attaqués sous terre. On m'a fait un paquet d'examens pour souscrire une assurance. J'achète une maison au nom de Bianca et de nos enfants. C'est le prix de ma liberté. Je le fais bien volontiers mais je suis certain qu'on va me découvrir quelque chose et alors que j'en mourrai. Je suis persuadé qu'on a tous en nous des maladies stagnantes, tant qu'on ne nous met pas au courant, on ne peut pas vraiment en mourir.

C'est mon tour, le docteur a la mine grave. Ça y est, je défaille. Je vais mourir sans avoir baisé la Terre entière, sans être riche, sans savoir si nous serons qualifiés pour l'Euro.

Le médecin m'annonce une cardiopathie congénitale. Je me tiens la poitrine, persuadé que je vais mourir. Comme je l'ai toujours été. Comment vivre au-delà de mon père. Plus que ce qu'on lui a accordé. Le médecin me montre l'échographie. Ce n'est pas ce que je crois. Je peux vivre normalement comme ça. Pour me faire comprendre, il me fait un schéma. J'ai le cœur qui fuit. Oui, Laure le savait déjà.

— Alors, je fais quoi docteur ?

— Rien. Absolument rien de plus qu'avant.

Toutes les nuits je promène avec moi ce rêve étrange, qui se greffera sur chacune de mes vies, de mes maisons, des différents visages qui peupleront chaque instant de mon existence. Je suis dans l'appartement ou la maison que j'habite et je me dis : c'est tellement dommage ces trois pièces, celles qui sont dans l'entrée, derrière cette porte qu'on ne pousse jamais et qui pourraient nous offrir tant d'espace, le bureau dont je rêve ou une chambre d'enfant...

Alors, seul, je me balade dans cet espace que je connais par cœur, sans doute parce que c'est un lieu que j'ai vraiment vu ou parce que je l'améliore au fur et à mesure des années dans mes séjours oniriques ; il y a cette marche qui sépare deux des pièces qui sont une sorte de salon en suite, avec d'immenses rideaux de velours aux bouts pesants et usés d'une couleur vieux miel que je distingue mal, car dans le miroir leur reflet est violine ou d un gris bleuté, mais ce miroir ne renvoie jamais mon reflet. Comme si je savais que je n'y allais pas vraiment mais que j'y pensais. Il y a cette pièce sur le côté gauche, déjà dotée d'une table poussiéreuse et d'une chaise en bois qui fait dos à la fenêtre, que je vois quand j'entre car la pièce de gauche est un peu en biais. Je sais aussi l'existence de tentures vertes là-bas. Je vois tout mais je pense n'y être jamais entré. Les bruits que j'y entends parfois sont si familiers qu'ils ressemblent à mon silence. Et puis voilà, je me réveille et rien n'est là. Je cherche l'entrée des trois pièces, à tâtons, dans la pénombre ou l'aube naissante. Je ne la trouve pas, j'en pleure parfois.

J'ose de moins en moins dormir, le réveil est violent. Quand je réalise que cet endroit-là est mon fantasme et que je n'y vis pas, je me brise. Après mon divorce entre mes quarante-trois et mes quarante-cinq ans, je visiterai en moyenne sept appartements par semaine à la recherche de ces trois pièces. Toujours absolument certain de leur existence dans mon sommeil et surpris que personne d'autre n'ait pensé à pousser cette porte. Que pensent-ils? me dis-je. Que cette porte est condamnée! Je travaille trop la journée et à chaque fois j'oublie d'ouvrir ce lieu pour eux, il faut vraiment que je le fasse le lendemain. Et au petit matin je me surprends à chercher quand même, je visualise le lieu dans lequel je vis et je m'assure que je n'ai pas oublié une porte dérobée, une entrée possible. Lors de ma quête incessante de ces pièces, je rencontrerai tous les agents immobiliers de Paris qui sans doute me prendront pour un fou, et un jour, c'est une femme qui ouvrira la porte. Dans le contre-jour, je ne verrai d'abord que sa silhouette, mes yeux naturellement chercheront une entrée qui mène aux trois pièces cachées, ce n'est qu'après avoir parcouru un salon et un bureau sombre que je réaliserai qu'elle est belle. Gilda ne m'aura pas encore dit son prénom. Juste Mademoiselle Antoine. Un nom qui n'appelle à rien, un nom banal de professeur terne. Jeune, je me dis, très jeune.

— Que cherchez-vous ? me demande-t-elle.

Je me retiens de ne pas la coller au mur et lui soulever sa jupe.

— Je sais ce que je veux mais je ne peux pas l'expliquer vraiment.

— Comme l'amour, vous voulez un appartement dont vous tombiez amoureux.

— Je pense que c'est plus compliqué que
ça.

— J'adore les choses compliquées, je vais
arranger ça.

Je lui dis au revoir, amusé, persuadé de
ne pas la revoir. Je continue la vie ridicule que j'ai mise en place avec mes amis.
Je commence à me sentir jeune, quelques
années avant qu'il faille y renoncer. J'étais
un enfant grave, un adolescent chargé, un
homme en prison dans ses certitudes : me
voilà vieux, léger, déraisonnable. L'alcool a
toujours été mon chemin d'exception. Après
quelques verres, je parviens parfois à ne pas
me sentir mortel, à aimer sans me projeter :
à être jeune. L'alcool et la musique. Je les
ai souvent recherchés. Je regrette de devoir
prendre conscience de mon corps à mesure
qu'il s'use. J'aimais avec passion l'oubli de
mes vingt ans. Le sex-appeal qui transpirait
de mon indolence, de la nonchalance qui
prenait possession de moi et m'autorisait
à me secouer dans tous les sens. Je ne bois
jamais assez pour être comme eux. Louis,
que je pensais à part, regarde les petits culs

de jeunes hommes comme des friandises et se les offre comme il peut, n'hésitant pas à étaler le fric de Jacques qui bascule d'un pied sur l'autre à la manière d'une danse primale d'accouplement, un cigare à la bouche. Dans un carré limité par un cordon qui nous désigne comme étant les plus riches de la boîte, du moins ceux qui dépensent assez pour être considérés comme tels. Nous voyons les filles gigoter des nichons comme les chiots qui sautent dans les vitrines pour qu'on les choisisse. Leur plus beau sourire, le dos qui souffre, pour une caresse, pour mille coups. Pour qu'on les touche. Le mariage m'avait épargné cela, ce tas d'années de foire d'empoigne. Jungle merdique. Et me voilà plongé dans le grand bain froid, requin malgré moi, puisque je reste un homme, puisque ce sont des proies.

Avoir renoncé à Laure pour conserver un romantisme sans entailles a fait de moi un homme aux chagrins raisonnables. J'ai rejeté les courses sous la pluie, les chamades, les hasards, les signes, le cœur qui commande, la vie qui file entre les doigts. J'aime marcher avec le sourire sur les trottoirs que j'ai foulés triste. Piétiner les failles de mon destin. C'est comme si je consolais le type que j'étais alors, qui continue à vivre dans un autre espace-temps et qui soudain va mieux, plus vite. Je suis un homme qui regrette. Et qui aime ce qu'aurait pu être sa vie. Dans ce monde d'ironie fatale. De l'humour. Du trait d'esprit qui rature les visages des gens jusqu'à les gribouiller, je ne me sens pas à ma place.

En boîte à quarante-cinq ans, je me sens ridicule. Et je le suis jusqu'au bout.

— Vous ne vous souvenez pas de moi ?

Ça doit être une amie de ma fille... Je traîne à répondre.

— Je vous ai aidé à chercher plus que l'amour, il y a un mois... La visite de l'appartement dans le XVIIe... ?

Dans la beauté de la jeunesse, il y a la promesse de ce qu'on va devenir, il y a le risque, les accidents, le nez qui s'épate, les yeux qui s'éteignent. Une belle femme ne promet plus rien, elle est. Une jeune fille est un espoir. Un espoir ça se déçoit, ça se salit. C'est excitant pour un homme, pour un prédateur.

— Oui, l'appartement, pardonnez-moi. Je peux vous offrir un verre ?

— Gilda.

— Enchanté. Moi c'est Sandro.

— Alors, vous l'avez trouvé ?

— Quoi ?

— L'amour.

— Ni l'appartement ni l'amour. Mais je suis certain que vous pouvez m'aider.

En bas de chez elle, l'alcool qui m'amusait les sens ne fait plus effet. Je pense à mon corps pour la première fois. Comment le dénuder face à cette jeune femme à laquelle je n'ose pas demander son âge ? Mon ventre un peu détendu. Les quelques poils blanchis sur mon torse.

Pourtant, bientôt, elle avancera son buste vers moi, chacun de ses gestes témoignera de son désir. Je la penserai dupe d'une illusion, d'un fantasme. Je l'imaginerai dégoûtée, vite. Ou dans peu de temps.

Je la laisse en bas de chez elle, après lui avoir ouvert la portière et lui avoir passé la main dans les cheveux.

— Bonsoir Gilda.

C'est ce que je raconte lors de ma première et avant-dernière consultation avec mon psychanalyste. Les appartements, Gilda, comment j'ai voulu être prêtre enfant, la mort de mon père.

— Trois pièces, vous dites ?

Il m'enverra balourd sur la sainte trinité. La recherche d'un équilibre que je ne retrouverai jamais. Je m'en voudrai de ne pas y avoir pensé, mais pouvais-je être si primaire ? Toutes ces explications à la con, ces jeux de piste à l'intérieur de nous-mêmes dont nous sommes à la fois perdant et vainqueur.

Je ne lui donnerai pas une des clés de cette obsession. Après la mort de papa, il arrivait que maman me laisse chez des gens, des amis à elle. Jamais les mêmes. Je me souviens de certaines personnes, d'autres non. Ça lui semblait normal alors je faisais comme si ça l'était.

— Tu vas rester chez mon amie. J'ai une course à faire, je reviendrai te chercher, Alexandre.

Les promesses

Souvent on me donnait un goûter et maman avait prévenu que la lecture me conviendrait alors on me laissait avec un livre dans une pièce inconnue. Il se peut que ces trois pièces viennent de là. Un de ces appartements comme des cailloux dans ma mémoire dont je perdais vite la trace, ils ne menaient à rien, à aucun chemin. Maman se disputait avec les gens aussi vite qu'elle se liait d'amitié. Sans que rien ait de sens. Un jour elle aimait bien quelqu'un, le lendemain il l'agaçait.

Je ne dis pas cela au psychanalyste, de peur qu'il s'imagine que j'ai une mauvaise mère. Il lui faut plus d'éléments d'abord, pour ne pas la juger si vite.

Durant nos dîners du mardi, nous parlions souvent de la mort, de façon décomplexée. De la nôtre plus particulièrement. Enterrement ou crémation ? Quelles femmes ou hommes aimés y assisteraient ? Qui serait vraiment triste ? Nous pariions aussi sur celui d'entre nous qui partirait le premier. Selon qu'on appliquait le proverbe des « meilleurs qui partent les premiers » ou du « meilleur pour la fin », l'ordre différait ; mais nous étions toujours d'accord sur un point : le meilleur, c'était Louis. Jacques espérait une rangée de femmes en larmes, chaussées de talons noirs à la semelle rouge sang, qui finiraient par s'écharper pour savoir laquelle il avait le plus aimée.

— Un combat de boue en fait ? Tu veux du catch féminin pour tes funérailles ?

— Oui mais sur une musique triste.

Louis, lui, espérait une fête déjantée, délirante et des standards du rock, qu'on danse sur sa tombe !

— Plein de beaux garçons avec des pantalons de cuir ?

— Des beaux, des moches, de la vie quoi ! Et toi ?

Moi ? Je n'imaginais rien, je n'y parvenais pas. Mes amis pensaient que c'était par peur, en réalité, une chose en moi incrédule croyait dur comme fer que j'y échapperais. La vieillesse n'arriverait pas jusqu'à moi. Le désir porte en lui la mort. Je commencerai à croire en ma mortalité quand j'oserai enlever les vêtements de Gilda. Un à un. Dans un hôtel à la moquette pourpre. Mon torse sous ses doigts sera une vieille peau neuve. Comme une mue de trop, sans chair de rechange. Aimer Gilda ce sera une envie de récupérer la vie. Son corps lisse, chaud, bronzé sans usure, vierge de traces, vierge d'enfant. Mais dans le regard de Gilda il y aura tout ce que je ne suis plus. Ses cuisses, l'intérieur de ses cuisses à chaque fois que je m'y noyais tendaient tout mon être, tant que des rides semblaient surgir partout sur

233

mon corps pourtant noué au sien, incapable de m'en dégager. Ce qui devra me rendre heureux me plongera dans une nostalgie fracassante. Une conscience aiguë de mon âge, de ma vie d'avance. Je la regarderai avec tendresse, le ventre serré de ne pouvoir lui faire l'amour comme je l'aurais pu encore dix ans avant. Pourtant je me sentirai plus vieux que ces générations cabossées qui suivront la mienne. Quand je verrai mon fils aîné, je tenterai de lui parler de femmes, de football ; il me parlera de projets professionnels, d'avenir. Je lui demanderai ce qu'il fera pour profiter de la vie. Ce sera sa façon à lui d'être heureux, me dira-t-il.

— Toi papa, tu vis dans un film de Claude Sautet sous-titré en italien. C'est une autre époque.

C'est le notaire qui m'annonce : « Votre grand-père est mort. » C'est le notaire parce que Donatello a peur. On ne s'est pas vus depuis des lustres, il n'est qu'un employé. « La nouvelle est trop grave », dit-il. Et de ses mains gantées de blanc, il lui tend le combiné téléphonique qui sent encore l'haleine de Nonno. Le mot triste ne sera pas employé. Beaucoup serreront les lèvres et hocheront la tête en un signe de respect mais personne ne versera de larme. Personne sauf maman. Je lui répète les mots de maître Depaquini, une heure après · un infarctus, il s'énervait au téléphone et puis rien, il est tombé raide. Il n'a pas souffert, ou pas longtemps. Il était six heures dix du matin, il n'avait mangé qu'un seul de ses œufs à la coque, pas touché au jambon, le thé était trop chaud et le jus trop amer.

Il râlait beaucoup les derniers temps, ont dit les domestiques. Je raconte les détails à ma mère, dans son petit salon brun, elle se met à pleurer.

— Je ne comprends pas, maman, il te détestait.

— Oui mais qu'il ait continué à me détester après toutes ces années, c'est un peu comme si ton père avait continué à m'aimer.

Maman veut m'accompagner.

— Ce sera une bonne occasion de revoir papa, me dit-elle. Et je lui réponds qu'il ne doit pas être en très bon état. Ça ne la fait pas rire, elle me demande :

— Où est passé le petit garçon qui voulait être prêtre ?

— Tu l'as fait assassiner par Nonno. Tu te souviens ?

Ce petit garçon que je cherche en moi souvent, qui aimait regarder maman quand il était à hauteur de sa taille. Me blottir dans ses jupes et lever mon visage vers le sien. Elle ne résistait pas. Elle me soulevait dans les airs et me calait sur sa hanche, me tenant avec son bras gauche tandis que sa main droite s'activait à autre chose. Le mieux c'était quand elle remuait une sauce, car elle me la faisait goûter et m'en mettait sur le nez. Puis elle le léchait. C'était dégoûtant et désagréable, j'adorais ça. Quand j'étais adolescent, ma mère me semblait vieille. Puis, c'est comme si son âge s'était mis à stagner. Elle n'était ni âgée ni jeune, elle était maman. Un statut. Un jour, elle deviendra une vieille. Je ne sais quand. Ça s'opérera en une nuit. Une chose mourra dans ses yeux, en allumant une autre, une flamme entre sagesse et abandon. Quand elle sera cette petite dame âgée, je l'observerai de dos. S'éloigner. Sa façon humble de se mêler à la foule me touchera. Elle qui la fendait jadis, qui faisait se retourner les hommes désireux et les femmes jalouses. J'aurai toujours envie de la couvrir, même en plein été. Je deviendrai son père, comme il se doit.

Je ne dis rien de la mort de mon grand-père à Gilda. D'abord parce que je ne veux pas qu'elle m'accompagne là-bas, ensuite car je lui ai fait croire que l'héritage était déjà mien. Non, ce n'est pas avec elle que j'ai envie de vivre cela. Admettre devant de la terre fraîche que je serai le prochain homme de la famille à être enseveli là-bas.

Ça fait quelques années que nous ne nous sommes pas parlé. Je cherche son numéro dans l'annuaire. Laure, rue des Acacias. Mais elle a disparu. Je ne la trouve ni à son nom ni à celui de son mari. Il me faut passer plusieurs coups de téléphone. Appeler l'ancienne amoureuse de Jacques... Et puis enfin sa voix au bout du fil.

— Je t'appelle parce que mon grand-père est mort.

— Je suis désolée pour toi.

Et sans relever l'étrangeté de la demande. Parce que j'assume qu'ensemble nous ne sommes qu'une étrange histoire d'amour je lui demande de m'accompagner à l'enterrement et elle me dit : « Oui, quand ? ». Je réponds : « Demain matin, je viendrai te chercher, donne-moi ta nouvelle adresse. Tu es retournée là-bas ? Dans le XIVe ? On s'amusera de choses et d'autres. »

Je lui raconte cette nuit où nous ne nous sommes pas aimés comme si elle n'y avait

pas assisté. Je prends mon temps. J'entends
ses sourires à l'autre bout du fil. Après tout,
ce n'est plus vraiment nous. Ces jeunes nous,
des bouts de nostalgie. Mais je raconte...
J'attends que Laure me parle enfin :

— Pourquoi tu parles de ça au présent ?

— Parce qu'il y a des moments qui ne
passent jamais. Dans lesquels on reste empê-
trés.

— Je ne peux pas retomber dans cette histoire, Alexandre.

Elle avait employé mon prénom en français comme pour me mettre à distance.

— Quelle histoire ?

— Tu poses la question... Tout est dit
alors.

— Non, je veux dire, justement. Nous ne
l'avons pas encore vécue.

— Je t'en veux d'employer le mot encore.
Après tout ce silence.

— Tu viens avec moi en Italie ? Enterrer
mon grand-père. J'ai tellement souvent voulu
te montrer la maison de ma famille.

La nostalgie s'entretient. Elle est le moyen de continuer à ressentir. Quand les sentiments vieillissent alors nous aussi. J'ai un carnet sur lequel j'ai fait des listes de choses qui me ramènent à des moments et m'obligent à ne pas les oublier.

La pluie sur la fenêtre de ma chambre dans la Nièvre. Il n'y avait que du silence autour du bruit de la pluie, deux jours durant, ça devint mon nouveau silence, une forme de silence plein. La pluie, c'est l'ennui délicieux de l'enfance. L'attente du goûter.

La forme du nuage au-dessus de nos têtes. Laure et moi allongés après un déjeuner sur une pelouse aux Tuileries. Il fait si beau. Nos mains montrent du doigt les facéties du ciel mais jamais ne se touchent.

Laure nue à la fenêtre. Mon cœur qui bat.

La première fois que je la vis aussi, ce dîner, ce temps en pointillé comme les chaussons de Noureev qui piquent joyeusement mon destin plat.

Le martinet que papa cachait dans le placard de l'entrée et sortait pour me menacer quand je faisais de grosses bêtises que j'avais jeté par la fenêtre une nuit sans qu'il s'en aperçoive, et le rire qui suivit. Ça aussi je l'avais consigné. Des souvenirs de parfums, des amis perdus depuis, des visages de gens que j'avais mal dessinés et écrits en dessous pour tâcher de me souvenir d'une chose qui me les avait rendus spéciaux. Des dessins de voyages et ceux que je n'ai pas faits. Il y avait tout cela, plus une page vierge.

J'ai mis mon carnet dans un paquet cadeau. Je le tends à Laure.

— C'est quoi ?

— C'est pas grand-chose. Mais c'est tout ce qui me reste en mémoire

— Je l'ouvre ?

— Pas tout de suite.

Laure et moi prenons l'avion. Comme si nous ne nous étions jamais assis à côté de quelqu'un d'autre. En silence. Avec les gestes de gens qui se connaissent. Laure a mis du noir pour respecter mon deuil.

— Tu l'as tellement critiqué, tu en as tellement parlé, tu l'as tellement haï que tu devais bien l'aimer un peu.

J'ai expliqué à Laure ma rencontre avec Gilda.

— Quitte-la. Quitte-la puisque ce n'est rien.

— Elle est enceinte.

Le visage de Laure ne peut pas masquer son chagrin. Je lui prends la main, elle a du mal à ne pas me laisser faire. Elle parle pour ne pas laisser le silence la bouffer toute crue comme une balle de mie qu'un enfant roule entre ses doigts avant de l'engloutir.

— Tu connais cette nouvelle de Tennessee Williams sur un homme qui ne sait pas ce qu'il désire dans la vie jusqu'à ce qu'il aille dans un bain turc et qu'un masseur lui fasse mal, le violente? C'est seulement là qu'il se sent révélé à lui-même, dans la douleur.

— Enfant, j'aimais changer de pays et devenir Sandro parce que c'était symétrique, six lettres rondes. Des lettres simples. Alexandre c'était alambiqué, aristocratique. C'est un nom complexe qui trimbale des histoires, des grands hommes et des oncles morts.

— Moi, je t'ai toujours appelé Sandro.

— Je me suis présenté à toi comme tel.

— Tu m'as fait croire que ce serait simple.

— Au début, je le croyais.

— Tu n'avais qu'à dire un mot.

— Hier au téléphone tu m'as appelé Alexandre.

— Parce que maintenant, je sais. Je sais que c'est compliqué, cabossé. Je sais que le massage me fera mal. Mais je m'allonge quand même sur la table. Nue.

Quand Laure sourit, on dirait qu'une chose en elle va se briser. Tout son visage semble maintenu par l'équilibre fragile de sa bouche, comme un pantin articulé par ses joies et ses peines. J'adore la voir sourire, comme un clown triste. Sa peau est d'une couleur boisée qui ne vieillit pas, la vie simplement y a laissé des empreintes de pas ou pas assez. Laure est de ceux dont on voit le chagrin dans les fêtes. Surtout parce qu'elle s'y amuse avec acharnement, qu'elle lutte contre l'arrêt inéluctable de la musique. Qu'elle fume. Allume une clope avec celle qui prend fin.

Laure a dans le regard cette chose de plus qui ne se décrit pas mais qui en faisait un être à part. Elle ouvre les placards comme on pénètre une caverne.

Nonno a laissé une trentaine de paires de mocassins identiques faits à sa mesure dans un daim d'un beige parfait, ni trop clair ni caramel. Une couleur qu'il a mis des années à trouver et n'a plus quittée.

Il possédait aussi des chaussures de cuir pour les journées d'hiver ou certains rendez-vous qui réclamaient un pied tenu et un costume de flanelle au lieu de son lin habituel. Chaque paire allait sous un costume qui lui correspondait. On aurait dit une boutique. Que faire de toutes ces chaussures ? Je m'assieds sur le bord du lit et j'observe ce placard de vieillard coquet et égoïste. Mon grand-père maternel ne possédait rien. Ses premiers pas charriaient toujours la boue de la veille qui avait séché sur ses semelles

épaisses. Il avait deux paires de chaussures :
celles du dimanche et les autres. On en ache-
tait de nouvelles lorsque les précédentes
étaient usées. Maman me l'avait raconté cent
fois, aussi rechignait-elle toujours à s'offrir
une belle paire de talons. Pour elle, c'était
un luxe. Et moi combien de paires de chaussures aurais-je ?

— Je suis un être médiocre, Laure.

Entre la démesure et l'ascétisme, il y a la
moyenne, rien, moi.

Laure me demande l'autorisation d'ouvrir une boîte sur la table de nuit, je la lui
donne d'un sourire. Elle y trouve quelques
lettres et des photos de famille et de femmes
que je ne connais pas. Une photo de mon
père.

— Il te ressemble là-dessus.

— C'est moi qui lui ressemble.

— Cesse de te dévaloriser tout le temps,
Sandro.

J'ai envie de lui baiser la bouche.

On me dit qu'il est temps d'y aller.

L'enterrement a lieu à plus d'une heure
et demie de route, dans le grand cimetière
de Campo Verano à Rome, dans le caveau
familial, là où papa gît déjà.

Dans la voiture qui nous conduit aux
funérailles, je fais rire Laure en lui racontant

que la première fois que je suis allé seul fleurir la tombe de mon père, je n'avais pas osé demander à Nonno où il était enterré. Planté devant une multitude d'allées comme face à un labyrinthe et je m'y étais perdu. Les années d'après aussi, ça m'apparaissait même de plus en plus alambiqué, grand et complexe, il était trop tard désormais pour avouer que j'avais posé les fleurs au hasard sur des tombes de femmes aux prénoms qui me plaisaient. Pour la première fois depuis son enterrement, j'allais retrouver mon père, et il allait retrouver le sien.

Sandra, Nonno et mon père seront enterrés dans la même allée. Je me demande si on se fige à l'âge que l'on a quand on s'en va. Auquel cas, papa pourrait baiser Sandra et je serais plus âgé que lui.

Je regrette parfois de n'être pas parti jeune, pétri d'illusions, encore plein d'autre chose que de chair. Je n'ai jamais parlé au-dessus de la tombe de mon père. Pas réfléchi non plus. Je suis juste en colère contre lui. Encore plus maintenant qu'il sera avec Nonno et qu'ils m'ont laissé seul.

Dans une heure ou demain, je recevrai un appel de mon fils Nicola, mes autres enfants derrière lui, qui me demanderont à quel titre je les ai privés de l'enterrement de leur grand-père, pourquoi ils n'ont pas été prévenus. Je ne répondrai pas à leurs voix qui cracheront une haine différente de ce qu'ils expriment.

Au-dessus de la tombe de mon père et du corps du sien qui le rejoint, je me demande dans quelle mesure j'hérite cette malédiction. Si je ne fais pas peser un danger à mon fils en continuant à vieillir.

Laure me tient la main. Je dis les mots qu'on attendra de moi.

Avant le coucher du soleil, nous sommes de retour à la maison. Et je sens, très nettement, la main de mon grand-père empoigner mon cou ; voilà le jour annoncé où tout cela est en moi. Je l'ai attendu toute ma vie, pourtant c'est arrivé si vite.

Laure est presque dans la pénombre, elle n'ose pas me toucher.

— Dedans c'était toujours l'hiver. Avec ces rideaux de velours rouge, il faisait toujours frais l'été. Ma mère frissonnait.

— C'est à toi désormais. Non ? Ces rideaux. Cette maison. C'est à toi ?

— Oui. Il semble que oui.

Laure saisit un rideau en velours fermement dans ses mains et elle tire, tire.

— Aide-moi.

Je n'ai pas à tirer beaucoup, la rage de Laure emporte les tringles avec le tissu. Ensemble, nous faisons rentrer la lumière chez Nonno. Nous ouvrons grand la fenêtre sur l'Argentario, et nous restons silencieux devant l'immensité de la mer et nos cœurs petits.

Laure ne fait que des mouvements d'héroïne de cinéma. Je sens son envie de me marquer, de faire partie de ma vie. Jamais encore je n'ai prononcé les mots qu'il faut pour lui dire mon amour. Elle se tourne vers la cage des oiseaux, me regarde et l'ouvre.

Mais ces oiseaux-là ne veulent pas quitter leur cage. Elle en met un sur sa main et il s'envole toutes plumes en arrière vers son compagnon, près de sa mangeoire.

— On voit qu'il est de la famille, cet oiseau. Regarde, il ne prend pas les cadeaux qu'on lui offre. Il ne veut pas de sa liberté.

— Je ne sais pas si c'est un cadeau, la liberté. On croit ça quand on est tout jeune.

— Tu préfères ne pas faire de choix?

— Au moins tu ne t'en veux pas d'avoir fait systématiquement les mauvais.

Je me demande si papa aurait quitté la cage un jour Si, sans cette rupture que sa mort avait causée dans la généalogie familiale, je serais devenu moi ou un duplicata de Nonno comme il était une copie de son père avant lui. Soudain, je me glace à l'idée qu'il me faut choisir où être enterré. Dans le caveau italien ou avec ma mère et ses parents comme elle en a récemment émis le souhait. Quel sera mon prénom une fois mort?

Une série de belles femmes viennent nous présenter leurs condoléances à Laure et moi, comme si nous étions un couple. Elle les laisse faire. Parfois elle me sourit à demi, sans que les gens s'en aperçoivent. On me demande de dire quelques mots : Il était maniaque et entêté, jeune déjà, il avait tous les défauts qu'on prête aux vieux messieurs, du coup, il n'a jamais vieilli. Peut-être même à l'inverse a-t-il rajeuni ? Je raconte comme il était coquet et bel homme, comme il plaisait aux femmes. Comme la vie est courte et comme il le savait. Je dis qu'il m'a aimé et je ne le réalise qu'à ce moment et ma voix me surprend, elle a les intonations de la sienne et un hoquet de sanglots me secoue par surprise. Laure me prend dans ses bras et baise mes joues mouillées. Jamais je n'ai aimé un être comme elle à cet instant.

Allongée sur son lit, elle lit un livre et je le lui retire.

— Qu'est-ce que tu fais ? Alexandre ?

Lui tendre la main de loin, et qu'elle me la donne pour l'attirer à moi.

Un baiser. Un autre.

— Alexandre, arrête.

Mais elle me rend mes baisers.

— Pourquoi tu ne m'appelles plus Sandro ?

— Parce que rien n'est simple. Plus rien ne l'est. Tu as laissé passer le moment simple. Tu appartiens à une jeune femme, je n'ai même pas envie que tes mains comparent nos peaux.

— C'est la tienne que j'ai toujours voulue.

— Tu finiras par l'avoir. Mon scalp. Ma peau. Mes os. Tout! Tu emmèneras qui à mon enterrement?

J'insiste mais pas trop, je la laisse se mettre dans mes bras mais c'est elle qui me protège. Nous sommes pelotonnés sur le lit comme une balle d'amour déçu, l'un dans l'autre.

Et nous rions de tout. Les baisers s'essoufflent dans nos rires. Au bord des larmes.

— Viens, dormons, dors, je vais juste t'enlacer, je suis épuisé.

En sursaut, je me réveille dans le tard de la nuit, mes bras sont vides. Laure a laissé un mot sur la table pour me prévenir de son départ. Et mon carnet emballé, intact. Dans le ciel de Porto Ercole, pourtant, la lune croît.

Tout ce que j'aurai effleuré d'elle, son corps jamais complètement mien, ses cheveux caressés jamais empoignés, comme si elle était à jamais une poupée de porcelaine, n'aura de cesse de créer en moi une frustration amoureuse, une colère et une proximité quasi fraternelle. Oui, il me semblera plusieurs fois être un petit garçon frappé d'une envie d'inceste. En retenue. Toutes les femmes que j'ai sautées, que je sauterai, je leur donnerai au moins une fois le visage de Laure.

Laure noire, Laure sale comme une scène de baise. Laure du soir qui tombe sur ma vie. Et qui s'enfuit encore.

Les beaux jours déclineront. Je resterai quelques nuits dans la villa vide de Porto Ercole. On me fera les plats préférés de Nonno, les employés riront de ses colères, se souviendront de ses lubies et de ses fêtes et par automatisme me serviront le petit déjeuner qu'il avait pris sans faillir chaque jour de sa vie. Ils auront des mots affectueux. On adore les tyrans éteints. Syndrome de Stockholm. Nostalgie de l'ordre établi. Il faudra régler des papiers, signer. Licencier la moitié du personnel. Il me faudra aller à Milan, confier la gestion des usines et je rentrerai sans envie pour la première échographie et un tas de faux sourires. Au fond, mon corps sera toujours allongé là-bas près de Laure. Je n'utiliserai qu'un faux transport pour vivre la suite de ma vie qui une fois de plus m'empêchera d'aimer Laure. Le bébé naîtra. J'attendrai une lettre, une peluche. Un signe de Laure, en vain. Comment pourrais-je espérer qu'elle célèbre ça ? Me dire que j'aurai perdu Laure pour de bon sera comme l'annonce d'un décès, du mien même. Ma vie deviendra sombre tout à coup comme un soir annonce une nuit d'hiver glaciale alors qu'il faisait encore chaud la minute avant, qu'il faisait encore soleil. Il faudrait rire devant ce petit garçon que je serrerai dans mes bras mais la maturité ne m'attendrira pas plus. Pourtant, quand on m'accompagnera pour lui donner son premier bain, je pleurerai de tout ce que je ne pourrai pas être pour lui. Cette vie de plus me paraîtra absurde et un sentiment de culpabilité me fouettera comme du courant électrique dans l'échine.

Mes grands enfants viendront à la clinique rendre visite à leur petit frère et me pardonner enfin de ne pas les avoir prévenus de la mort de Nonno. Comment leur dire que j'en avais profité pour donner un rendez-vous galant à la femme de ma vie qui n'était ni leur mère, ni Gilda ? Ils se prendront en photo avec le bébé à l'aide de leurs téléphones portables. Comme tous les enfants de leur temps, ils ne verront qu'à travers un écran. La vraie vie a l'air fausse quand elle n'est pas cadrée, filtrée, choisie.

Je ramène Gilda à la maison. Le bébé dort. Me voilà de retour dans un piège que j'ai fui. Le même, et à nouveau je ne sais pas quand il s'est refermé sur moi. Comment je l'ai posé sous mes propres pas. Pris de vertige, soudain je suis tout. L'énergie de la jeunesse, la dérision des vieilles âmes. Une course dans la nuit, le souffle jamais pris de court. Dans les yeux de Laure, le temps ne s'arrêtera pas, il ne sera plus. Je serai à ma place dans un autre monde suspendu qui avancera vers ce que j'aurai été. Une nostalgie qui ira de l'avant, comme toutes les bonnes chansons. Si elle avait su ce qu'il me fallait comme force pour me résister quand je voulais l'embrasser. La dernière fois que nous parlerons ensemble, ce sera dans ce café provoqué par un hasard bousculé, pas loin de chez moi.

— Tu sais qu'au XVIe siècle, un roi birman dont j'ai oublié le nom est littéralement mort de rire quand un marchand italien lui a appris que Venise était une république et n'avait pas de roi?

— Non, je ne savais pas ça.

— Moi aussi, quand tu me dis que nous irons à Venise un jour tous les deux et que tu regardes ta montre parce que ta jeune femme t'attend, et ton enfant dans son berceau tout petit comme ton cœur sec, ça me donne envie de mourir.

— De rire?

— J'ai besoin que tu sois méchant avec moi, que tu me blesses. Ou que tu me fasses l'amour. Parce que tes promesses en guimauve, elles me gardent sous cloche, elles ne me servent à rien, elles m'empêchent de vivre.

— On ira à Venise, je te promets.

Laure rira mais elle n'en tombera pas morte. Elle se lèvera vite. Le temps que je règle l'addition, elle se sera fondue dans la nuit.

Que fait la mémoire de ces années qu'on compresse, dont les nuits se ressemblent, qui s'étirent comme une semaine fatiguée de novembre ? Dans quelle part de nous range-t-on les soirs inutiles, les conversations stériles ? Je ne me souviens en somme que de cycles. Des ruptures de rythme de ma vie. Quand un être meurt. Quand l'amour s'en va. Quand je comprends soudain qui j'ai oublié de devenir. J'espère avoir trahi toutes les promesses que je m'étais faites enfant. Devenir un homme, c'est revoir son plan de vol. Comprendre qu'on se trompe en permanence sur ce qu'on s'imagine que sera la vie. Et pourtant, je pense avoir échoué. Je pense avoir raté ma vie parce que, ce soir-là, je ne chercherai pas où la nuit aura emmené Laure, je descendrai dans le métro et je rentrerai chez moi. Quand je pousserai la porte de la maison, Jules pleurera. Je le prendrai dans mes bras sans émotion. Je le consolerai machinalement. Pas à ma place. Le rôle de père n'est pas un emploi qui me siéra, encore moins à l'âge d'être grand-père.

Les promesses

Gilda émue se tiendra dans l'encadrement de la porte.

— Vous êtes beaux tous les deux.

Et elle ne saura rien de mon cœur comme un bloc congelé, de mon cœur qui fuit.

Cinq étés plus tard, ma fille, qui n'a que vingt ans, épouse un con.

Elle me l'a annoncé le jour du cinquième anniversaire de Jules. Elle m'a dit aussi qu'elle n'aurait pas supporté que mon jeune enfant soit une fille. Un œdipe et son contraire. Qui alors ? Qui tu épouses, ma fille ? Un garçon, ami d'ami, rencontré sur Facebook.

— Mais pourquoi te marier si vite ? On ne rencontre pas les gens sur Internet. Les passions et les amis communs, ça n'a jamais fait réussir un mariage ! Qu'en est-il de sa peau ? Tu veux te réveiller avec cette même peau chaque jour ?

— Ça ne te regarde pas, papa.

— Alors qu'est-ce qui me regarde ? Ton cursus scolaire ? C'est ça ? Ta putain de carrière. Qu'est-ce qui me regarde si ce n'est pas ta peau ?

On attendra de moi que je paie le mariage maintenant que j'aurai hérité de Nonno et je le ferai avec joie. Elle évoquera l'idée de se marier dans la maison de famille à Porto Ercole. Je l'en dissuaderai. Comme un enfant qui ne veut pas partager. Cette maison est la mienne. Celle où mon père est mort. Je ne la prêterai pas à mes enfants. Elle sera tout ce qui me reste de ce que j'ignore de moi. Elle me tiendra en vie longtemps car je ne voudrais pas leur en céder une pierre. Je n'aurai pas honte de ce sentiment; je l'embrasserai. Je ne m'imaginais pas qu'on faisait des enfants pour se résoudre à être déçu. Comme ce type du lycée qu'on idolâtrait et qu'on croise quinze années après avec une calvitie et une femme autoritaire. Les enfants sont forcément ratés. Ils sont notre vie de secours. Ils empruntent notre peau, notre voix, notre visage et notre fric. Mais ils ont leurs propres rêves et forcément les rêves qu'on ne rêve pas sont ternes ou clinquants et de toutes façons méprisables. Je pense encore que je peux les convertir au bonheur ou à une certaine mélancolie qui, teintée d'une dose suffisante d'humour et de charme, prend l'allure de panache. Mais ils ne seront rien de ce que j'ai imaginé. Dans dix ans, j'aurai usé avec eux tous les sujets de conversation, je m'inventerai une maladie pour qu'ils me laissent en paix. Nonno avait dû ressentir la même chose avec moi, un désamour. Il était si aimant quand je n'étais qu'un enfant. J'ai passé ma vie à le décevoir et j'avais la prétention de croire que je le défiais. La vie, comme l'Histoire, se répétera. Ce qui me fera du mal, ce n'est pas ce que mes enfants seront, mais ce qu'ils ne seront pas devenus.

Je ne comprends plus ce monde qui bouscule la temporalité du destin. Qui a peur du temps. Qui, en provoquant l'amour, l'annihile. Dont les respirations de l'existence sont des moments frappés de désespoir parce que vides, sans mouvements. La montre qu'on regarde sur son téléphone, ce moment qui chasse l'autre, ce temps qu'on bouscule et qu'on précipite alors qu'on recherche à s'éloigner de la mort. Cette époque en contradiction chaotique, d'une brutalité tiède mais permanente, qui n'autorise pas la trêve et tue l'humanité. Pour un homme de mon âge, tout est effrayant, en décalage. Et mes mots ne comptent pas. Les voix des anciens sont, aux oreilles des plus jeunes, des murmures agaçants. Comme il se doit. Moi qui pensais, jeunot, que la vie me semblerait plus claire à mesure que le blanc teinterait mes cheveux, tout me paraît plus obscur encore, mes questions ne sont plus que des onomatopées, et les contours de mes raisonnements disparaissent. La vérité s'éloigne à mesure que la mort s'approche de moi. Car je n'ai jamais eu le sentiment d'avancer vers elle. Je n'ai pas changé, je suis juste le même moi, plus enfantin encore, dans un corps qui s'effondre autour. Je flotte dans ma peau. Sûrement parce qu'il faudra bientôt la quitter. Je tenterai d'alarmer mes enfants, je leur dirai que je suis âgé, j'espérerai qu'ils me diront des choses. Mais quoi ? Qu'ils m'aiment ? Certes. On espère toujours des révélations fracassantes, une apothéose de la relation. Ils ne me diront probablement rien, ou je n'entendrai pas.

Sous prétexte de me faire plaisir ma belle et jeune femme m'entraîne dans des soirées échangistes. La toute première fois a lieu dans un établissement spécialisé en banlieue parisienne. Ça arrive dans notre vie de façon banale : une collègue de travail confie à Gilda la mission de trouver un appartement parisien discret pour abriter les amours secrètes de son amie Catherine Ponsac et d'un sénateur comme on l'imagine : vieux, joliment moustachu et lubrique. Gilda s'étonne de la familiarité qui existe entre ces deux femmes qui lui disent ne se connaître que depuis quelques mois. Son amie lui avoue sans rougir qu'elles ont fort sympathisé pour s'être vues mutuellement prises en levrette et autres réjouissances dans le club où cette même Madame Ponsac, fausse rousse, répondait au surnom de Mademoiselle Catherine.

Au début ça fera glousser Gilda qui me le raconte entre moquerie et dégoût puis ça pénètre ses rêves, ses gestes. À chaque visite avec Madame Ponsac, Gilda pose des questions, sent un titillement. Quand nous croisons un couple, elle imagine ce qu'elle ressentirait si je prenais la femme sous ses yeux. Elle me raconte systématiquement les choses de manière passive. Sûrement rêve-t-elle à d'autres queues, d'autres torses mais jamais elle ne l'évoque. C'est sûrement comme ça qu'elle finit par me faire pousser la porte de « chez Catherine »… Officiellement nous sommes invités pour fêter la signature chez le notaire de l'appartement qu'a réussi à trouver Gilda. Un petit bijou au plus haut de Montmartre.

— Alors pourquoi ne pas le fêter dans le lieu en question ?

— Ils ne l'auront que dans trois mois et puis souviens-toi, c'est un secret. On regardera juste… ne cesse-t-elle de répéter.

Pas d'écriteau dans ce petit pavillon de banlieue aux meubles rococo. Rideaux pourpres, moquette rouge bon marché, comme une salle de théâtre aux subventions réduites. Nous arrivons tôt. Il y a déjà deux couples. Mademoiselle Catherine nous accueille en guêpière, la cinquantaine usée. Talons hauts. Cuisse lourde. Un plateau en faux argent massif et quelques coupes de bon champagne un peu chaud que nous prenons pour nous donner une contenance. Je regarde tout au second degré. Du mal à rentrer dans la danse. Les couples ne sont pas encore dénudés. Pas tous laids. Il y a juste une langueur dans leurs gestes. Des mains qui traînent, qui frôlent. Qui dansent sur les peaux.

Un homme sort son sexe turgescent et une jeune fille s'agenouille pour le sucer. Pas d'excitation en moi. Puis, Gilda ira chercher une femme qui pourrait être sa mère. Une femme de mon âge. Elle l'agenouille près de moi et pose sa main étrangère sur ma queue molle. Gilda l'aide à me branler, puis s'éloigne pour voir la scène en entier, repoussant doucement tous les hommes qui s'approchent d'elle.

Je ne réalise pas qu'il s'agit de nourrir sa propre excitation. Je durcis sous le regard de Gilda, elle me présente ça comme un amour si fort qu'il la pousse à me voir baiser une autre femme. Et je le fais, vaillant, le torse bombé, comme un singe en rut. Oubliant le grotesque de ma situation, le pantalon descendu sur les genoux dans ce lieu miteux déguisé en salon d'époque et flanqué de faux meubles Louis XV. Je retrouve, alors, le sentiment de puissance de mon enfance. Quand plusieurs femmes me célébraient en frottant mon petit corps dans une bassine. Je laisse ma tête de côté. Rien n'existe que la mécanique des corps qui s'emboîtent. Des mains inconnues enfoncées dans le creux de mes reins.

Le retour en voiture est joyeux, Gilda rit de tout, trop fort, vite, je comprends, et peut-être elle aussi au même moment, qu'il s'agit de se déculpabiliser. Que mon désir pour d'autres femmes fait naître une jalousie qui, en boomerang, décuple son énergie sexuelle. Les fois suivantes, car il y en a. Nous y retournons, à sa demande toujours ; elle met de côté les odeurs, les mauvais éclairages, la laideur, les poils d'inconnus pour assouvir ce feu qu'elle a allumé seule, qu'elle alimente, et qui bientôt me brûle tant que j'en crève de froid.

Nous ne baisons plus de façon normale. Seuls. Gilda a déclenché en moi un dégoût d'elle. La dernière fois est aussi celle qui me permet de comprendre ce que je cherchais en elle, et me délivre donc du désir que j'en ai.

C'est juste avant de nous rendre au mariage de ma fille, quand Gilda apparaît dans le salon avec la robe de Rita Hayworth. Elle porte les cheveux noirs de Sandra, le prénom de ses mains gantées, et sa jeunesse immuable qui a volé un bout de la mienne. Elle s'avance pour m'allumer. L'enfant dort, elle veut récupérer sa place de femme, éteindre la mère. Je n'ai pas envie, elle insiste puis me branle en gardant ses gants. Sandra est là partout. Le tissu sur mon sexe me rend ma jeunesse en illusion minutée. Me revient le visage de Sandra, à travers la dentelle de fer des grilles de son immense maison. Ses yeux précisément, moi qui pensais les avoir complètement perdus au fond de la cave de mes souvenirs. Sandra prend la place de Gilda. Et cela durcit mon sexe d'adolescent sous la peau vieillie du mien. Alors, je la retourne avec violence sur le canapé, et, chose que je ne lui ai encore jamais faite, je l'encule. Malgré ses cris. Je l'encule comme on dit adieu à sa jeunesse, aux mauvais choix, comme on se gorge de haine contre le destin qui, quoi qu'il décide de nous faire commettre, nous fait pourrir, détruit nos chairs, nous transforme en lambeaux. J'y mets toute ma fougue d'homme et mes regrets d'être humain. Je gonfle dans l'étroitesse du passage, et je prends un plaisir fou et dégueulasse, de ceux qui salissent les miroirs. Quand la baby-sitter arrive, nos corps épuisés toujours emboîtés l'un dans l'autre face au mur forment une parenthèse fermée.

Gilda se redresse à la hâte, persuadée que notre amour n'aura jamais été si fort. Moi, je nous sais perdus. J'aurai compris, les sentiments alors ne sont que des pieds de nez à mon intelligence qui les détruit un à un pour se rendre à l'évidence : Sandra est morte et je suis vieux.

Célébration de l'amour en règle. Papiers signés. Chemin fléché. On me demande un discours. J'improvise. Je suis décevant car j'ai été déçu. Par ma fille. Par ce que je n'ai pas réussi à faire d'elle. Qui est le reflet de ce que je n'ai pas su faire de moi. Elle joue à la grande et le devient, elle n'a plus rien d'enfantin, c'est juste une bécasse de plus. Rien. Je trouve ses amis ennuyeux. Heureusement, Jacques et Louis seront à ma table. Nous regardons ma femme danser. Jouer avec ses gants. Louis nous dit :

— Je crois que j'ai rencontré un homme. Un homme important dans ma vie.

Et nous sommes contents pour lui. Je me dis que Gilda ne sera jamais importante dans ma vie. Que je l'ai épousée pour lui fournir une preuve invalide, des faux papiers d'amour. Que je ne suis pas capable d'aller au bout. L'orchestre joue un éternel morceau de Claude François, la pièce montée est blanche et le marié ivre rigole avec ses copains, une bande de futurs chauves, diplômés, mais pas trop. Avocats ou notaires. On s'en fout. J'embrasse Jacques, comme du bon pain, et puis je serre Louis, et je m'en irai. Sans un mot.

Gilda me cherchera. Elle demandera si on m'a vu. Elle s'inquiétera que j'aie fait un infarctus. Ma voiture aura quitté le parking. Elle se demandera si elle s'est mal conduite, si sa façon de danser était outrancière. Elle vérifiera que Bianca est toujours là. Elle se résoudra à prendre un taxi. Elle rentrera en larmes. J'aurai juste fait un sac. Je répondrai à peine. Je dirai simplement que je pars. Elle tentera de me faire l'amour. Sa peau, qui me fascinait au début, m'a dégoûté peu à peu de la mienne. Et l'arrivée d'un enfant, de cris neufs, de vides à remplir mon crâne encombré d'histoires, d'anecdotes et de découragements amusés, m'épuisera. Ce temps-là sera passé. Je serai en fraude dans une autre vie qui ne m'apportera que de la peur. Un imposteur ne peut savourer que les premiers instants de son arnaque ; quand le mensonge se prolonge, il se demande si ce n'est pas de lui que le destin se joue. Alors, il se dénonce aux yeux de tous et reprend sa place dans la vie.

Mon abandon me coûtera une fortune mais y a-t-il un prix auquel on refuse la sortie de taule ? Gilda ne comprendra pas que je ne parte pas pour une autre. Elle passera des années à chercher la raison de ma fuite.

En réalité, avant de quitter ma vie pour une autre, ou plutôt sans la prolonger ni en changer, mais avant de faire un pas de côté comme on descend d'un train en marche et que la course nous amène un peu plus loin sur le quai mais permet de voir le dernier wagon s'éloigner en fracas puis sembler anodin puis ne plus le voir au loin, je tenterai de prendre Laure avec moi par la main, de la faire descendre de son propre wagon.

Avant le déjeuner, je referme la porte, Gilda est devenue violente, elle hurle encore, je ne dis pas au revoir à mon fils, il faut juste que je parte, récupérer le reste de ma vie.

J'arrive devant chez elle, tout ému encore de me rappeler cette scène où elle se déshabilla à la fenêtre il y a tant d'années. Elle vit dans une maison du XIVe arrondissement, que j'allais découvrir. Je tente de ne pas imaginer autre chose que ma main dans la sienne et nos deux sacs. Je prépare une déclaration d'amour pendant le trajet que je marmonne, ça fait rire le chauffeur de taxi. Je lui demande de me laisser à l'angle et je fais quelques pas, un sourire accroché au visage, sûr de moi, du moment enfin arrivé. Je vois alors un attroupement devant sa maison. Au début, je crois à un incident. Un incendie peut-être ? Mais des rires viennent éteindre mon feu imaginaire. Soudain, je vois Laure surgir sur le perron et prendre une jeune fille dans les bras. La sienne sans doute, mêmes cheveux, même capacité élégante à oublier

qu'elle est jolie. Puis, le mari de Laure mon-
tera les trois marches qui le séparent de la
femme que j'aime et l'embrasse. La famille
alors les applaudit de bon cœur, dans un
tumulte joyeux. J'avance, sans m'en rendre
compte, presque devant la maison. Laure
tourne le visage comme si elle avait senti ma
présence. Je détourne le mien. Je marche, le
buste droit. Il faut qu'elle me voie digne si
jamais elle s'aperçoit de ma présence, si elle
se demande si je suis venu pour elle. Si elle
comprend que cette fois, mon présent n'a
pas rencontré le sien.

Je réengage une partie du personnel de
Nonno pour remettre la maison en état. Je
ne change rien. On enlève simplement la
poussière. Je demande à ce qu'on laisse les
rideaux au sol. Ce sera ma façon de vivre
avec Laure. Ça, elle ne le saura jamais. Tous
les signes que je lui fais sans attendre qu'elle
y réponde, je m'imagine qu'ils envoient de
l'amour dans son cœur, sans qu'elle en comprenne la provenance. Des ricochets inté-
rieurs entre nos destins mêlés et distendus,
parce que je ne vis toujours pas ma vie. Je la

subis. Comme tous les hommes. Pourtant, je suis en rage quelque part. Il y aura du chagrin qui cogne dedans. Je défie la mer à la nage tous les jours. Je refais le chemin de mon père, comme si je traversais le Styx chaque matin et parvenais à sortir de son lit. Je fixe l'horizon et je me souviens. L'attente près de lui qui lisait. La mer ressemblait à un lac. C'est à peine si on entendait le clapotis des vagues. Il ne faisait pas si chaud. Elle avait la douceur d'une vieille amie qui faisait la sieste. Il n'y avait pas de raison d'en avoir peur. Aucune. Il ne faut pas blâmer la mer, il faut s'en prendre à Dieu ou au destin. Je le sais. Pourtant, chaque nuit, elle répète cette danse immobile dans ma tête. Je fixe le lointain et la Méditerranée à peine ridée me fixe en retour. Je la regarde à hauteur d'enfant. Elle me prend toujours une tête. Je ne parviens jamais à dépasser son horizon. Le rituel se met en place. J'ouvre les yeux et je bois de l'eau à même le robinet. Tout ce que je peux. Comme pour faire baisser le niveau de cette mer calme, en faire une simple flaque. Mais elle finit par couvrir mes châteaux de sable, les inonder quelque part dans ma nuit.

Je ne peux m'endormir qu'après des heures de mots fléchés. Exténué. Quand les lettres ne sont plus que des signes alignés. Que les mots perdent leur sens. Ils sont alors des dessins sur une page. Et moi non plus, je ne suis plus rien. Il y a des moments où je me dis que je ne me réveillerai pas. Que ce lieu est dangereux, maudit, que mon père m'y retient prisonnier. Je pense alors : vite, il faut rentrer, fais tes bagages et fuis ! Rentre à Paris ! Mais les bras d'un fauteuil m'attirent, une domestique me propose à boire et je suis aspiré dans une semaine de plus, puis un mois. Comme ces parties de cartes qui durent toute la nuit alors qu'on s'était promis de s'en aller à la seconde donne. Les jours vides me rassurent. Je passe quelques coups de fil aux bouquinistes chargés de trouver notre *Baron perché*, mais rien. Sous l'eau je fais serment à mon père de lui déposer son exemplaire sur sa tombe au cas où il voudrait en finir la lecture. Et cette pirouette romanesque me plaît tant que j'en informerai Laure par courrier. Elle ne me répond pas.

Je resterai cinq années là-bas, sans bouger. J'apprendrai à voir enfin les saisons passer par ma fenêtre. Geôlier de ma propre vie, paralysé des possibles, à l'abri dans ce que fut mon enfance, dans ce qu'elle ne put être, dans ce que j'aurais voulu plus tôt et qui ne reviendra pas. La mer qui change avec le ciel. Les humeurs des cyprès qui dansent quand les jours de grand vent je tourne le visage vers le chemin de Porto Santo Stefano afin d'éviter le sel qui arrive jusqu'à moi charrié par le vent. Les herbes aromatiques qui poussent sur les escaliers abandonnés qui menaient à la chapelle de la maison me chatouillent les narines. Un étage de basilic, l'autre de menthe, de la coriandre, de la ciboulette. Tout cela jaunira à la fin de l'été et périra en hiver et chaque année, je les ferai replanter. Comme

Nonno le demandait avant moi. L'olivier au tronc bleu en bas de ma fenêtre. Et parfois l'image de ma mère qui me tient dans ses bras et le regard doux que mon père devait poser sur nous.

Je n'occuperai pas la chambre de Nonno. Je la laisserai close. Parfois, craintif, je m'imaginerai qu'il pourrait en surgir en criant et me chasser. Je m'en réjouirai, j'aurai dix-sept ans à nouveau. J'attendrai un peu devant, mais jamais il n'en sortira. Je ferai toujours partie de ceux que ça n'aurait pas surpris. Je passerai ma vie à atteindre le surréalisme, son expectative est sans doute ce que je préférerai dans la vie.

Cinq ans à Porto Ercole, seul ou presque.

Cinq ans sur le lit que Laure aura quitté des milliers de jours avant, sans un mot, dans l'aube ou plus tôt dans une nuit épaisse qui m'aura gardé prisonnier. Sans que j'aie pu embrasser la tache de naissance qui dépasse de sa ceinture comme le haut d'une vague qui demande qu'on s'y jette. Sans avoir relevé ses cheveux et baisé son cou délicat où j'ai vu plusieurs fois un grain de beauté seul sur sa peau, comme une île à accoster.

J'aurais tant de fois eu envie de le cacher sous mes paumes tièdes quand elle découvre sa nuque car un crayon noue sa masse de cheveux dorée en chignon. Puis l'attirer à moi, pour planter mes lèvres sur sa chair, comme une morsure de vampire qui exécute, qui contamine.

Cinq années de réveils sans qu'elle pense à revenir ou que je pense à le lui demander. Les enfants me rendront de longues visites. À l'origine pour profiter du lieu au printemps et encore l'été et puis par courtoisie l'été suivant car je ferai en sorte qu'ils ne s'y sentent pas bien. Ils tiendront à me montrer leur progéniture. Et je ferai à peine semblant de m'y intéresser. Je les entendrai murmurer le soir que je suis devenu un vieux con. Ça me dessinera des sourires au début car je croirai maîtriser cette image et puis je réaliserai que c'est ce que je suis effectivement devenu. Un type qui n'a pas envie de compagnie, ni de douceur. Pas envie de petits-enfants sur les genoux. Leur odeur ne me plaira jamais. Le goût âcre de la sueur des bacs à sable. Leurs mains toujours gluantes. Je les trouverai agaçants.

— Je ne me suis jamais fait piquer par un moustique. J'ignore cette sensation. Jamais le moindre bouton. À croire que mon sang est impur. Je l'ai goûté un jour où je m'étais écorché le genou, il est salé et bon. Mais les moustiques n'en veulent pas.

— Tu mens, Nonno !

Je demanderai qu'on me donne son nom et j'enfilerai une robe de chambre identique à la sienne. Que penseront-ils de moi ? Inspirerai-je de la crainte ? De la moquerie ?

Bianca m'appellera une fois pour me prévenir de son second mariage : « Ce sont des choses qui se font. » Je prendrai en horreur la voix de Bianca. Aigrelette. Haut perchée comme si un tournevis rayait mes disques de jeunesse. Bianca n'a jamais eu et n'aura jamais la moindre mélancolie. Une dure. Une vraie femme se doit à un peu de tristesse, beaucoup de regrets.

Elle me parlera de son amour pour ses petits-enfants. C'était délicieux pour elle de retrouver à travers eux les sensations de son jeune âge. Tout l'inverse de moi. J'étais étriqué dans l'enfance. Ça ne me convenait pas. J'avais besoin de choisir, de vivre des sentiments de grande taille. J'avais détesté recevoir des ordres, être supposé savoir moins de choses que n'importe quel grand con sous prétexte qu'il avait passé plus de temps que moi sur cette foutue Terre. Devenu adulte, je ne comprenais que les enfants tristes. Et ils m'aimaient bien. Nous nous reconnaissions. Je ne pouvais me réjouir de voir un petit crétin courir avec un bout de bois telle une épée et je haïssais par-dessus tout l'expression *il a gardé son âme d'enfant*, la mienne avait toujours été vieille et libre, pour rien au monde je n'aurais voulu qu'elle retourne s'enfermer dans un petit corps sans poils.

Le jour de mon septième anniversaire, je m'étais exclamé : « Il m'en a fallu du temps pour avoir sept ans ! » Tout le monde avait ri, moi je sais très bien ce que j'avais voulu exprimer. Mon enfance ressemblait à une longue peine sous forme de fuite verticale, chaque centimètre gagné au-dessus du sol me rapprochait du vrai début de ma vie. J'étais provocateur, désobéissant et frondeur comme pour gagner du terrain sur l'ennemi. Je serai un grand-père acariâtre, bougon, hilarant parfois pour qui saura me comprendre. Je me coucherai toujours de bonne heure, les laissant embarrassés de cette maison trop grande où je me plaindrai que le bruit circule et s'amplifie. Et un soir, je croiserai Nonno dans un pantalon blanc, le Nonno de mes dix-sept ans, dans le miroir du vestibule. Cinq ans oui, de pas grand-chose pour me transformer en ce que le destin avait prévu pour moi. Nous nous saluâmes. Ce second visage de Nonno sera plus doux sans doute, comme lui mes cheveux auront pris la couleur des ailes d'un ange. Mon ambition déçue mourra sans laisser de traces. Je serai de ces hommes dociles à la fatalité médiocre de la plupart des êtres. J'admettrai faire partie d'un grand tout. Les vanités qui avaient habité sa vie m'amuseront désormais et je chausserai comme lui des chaussures sur mesure pour aller enfiler des putes qui prétendront si bien m'aimer.

Cinq années passeront ainsi avant que Jacques et Louis me rendent visite. Ils sonneront un mardi, sans prévenir, à l'heure de l'apéritif. Heure parmi les heures car elle est celle des possibles.

— Comme tu ne viens plus aux dîners, on s'est dit qu'on passerait.

— Ici je ne fais pas la différence entre un mardi et un samedi donc je ne me suis pas rendu compte que vous me manquiez.

— Espèce de connard de rital !

Je leur ferai visiter la maison dans laquelle mon grand-père ne m'avait jamais laissé inviter d'amis.

— C'est vraiment un palazzo !

— On finissait par penser que tu te foutais de notre gueule.

Je cuisinerai des pâtes au pesto avec le basilic du jardin et nous boirons le meilleur rouge italien. Il fera beau mais un peu frais, nous irons sur la terrasse avec des plaids de cachemire que Nonno aura laissés là toute sa vie pour ses hôtes. Et ses couvertures, comme des fantômes morts, reprendront vie sur nos carcasses. Alignés, sur le mur de pierre. Assis. Trois vieux, avec nos couvertures et nos verres de vin.

— Tu es heureux alors ?

— Je pense que je suis désespéré, vous voyez. Au sens étymologique du terme. Je n'ai plus aucun espoir, dirai-je. Et c'est assez doux, ce n'est pas un désespoir qui détruit, c'est un désespoir qui berce, qui rassure même. Sans espoir, pas de déception.

— Ça t'a bien fait prendre trois ou quatre kilos, non ? rira Jacques qui en comptera autant juste dans le ventre tandis que Louis au corps invariablement sec répliquera :

— Buvons au désespoir, en levant son verre de sassicaia.

— Dans l'espoir d'être ivres.

Mes amis m'ont offert le luxe de me prendre au sérieux en se moquant de moi toute notre vie. Enfant, on a cette intuition troublante de ce qui va advenir. Et puis on s'en débarrasse, pour pouvoir vivre quand même. On oublie. On perd le plan du chemin tracé en nous, même le plus effroyable, on se plaît à espérer qu'il arrive sur une plaine éclairée par une nuit de fête. C'est sans doute ce qu'offre l'amitié, cette sensation inouïe d'avoir retrouvé le parchemin qui explique comment sortir de taule, au moins pour quelques instants. Je bois trop cette nuit, je bois tant que j'en tombe. Et là, un instant, sur ma joue, c'est un souvenir en claque.

Des carreaux noirs, des blancs. Comme un marbre brossé. C'est là, c'est bien ici que j'ai vu un baiser. Pieds nus sur le sol lisse. L'enfance me revient. Des odeurs de réglisse. C'est une année après. Nous sommes revenus à Porto Ercole. Je l'avais oublié. Je me l'étais caché sans doute. Il était dans le cou, oui. Il était celui d'un homme qui console sûrement. Aurait-il pu être autre chose ? J'y ai vu un baiser. J'ai le visage sur le sol de la terrasse comme un immense damier dont nous sommes les pions quand nous buvons le soir pour regarder, au loin, les bateaux qui se couchent sur Porto Santo Stefano. Mes amis disent mon nom et moi je me souviens. Une jupe, claire, tourne autour de maman. Elle ne porte plus le deuil, elle s'empare de l'été. Papa est mort déjà. Ça devient clair en moi. Je suis dans les brumes d'un cauchemar. Je ne dors plus qu'à moitié. C'est un baiser comme un câlin, oui c'est ce que je me dis pour me rassurer. Et même je ne me dis rien, je ne fais que passer.

Les promesses

Il semble bien que je l'interrompe pourtant ce baiser, qu'une chose pèse lourd, que l'air se trouve vicié. Nonno libère ma mère qu'il tient par la taille, sans doute d'un peu trop près. Maman s'avance vers moi :

— C'est la nuit Sandro, chéri, va te coucher.

Lors de mon divorce avec Bianca, mon fils Nicola avait dix ans ; d'une certaine façon, je l'abandonnais alors à son destin comme mon père l'avait fait avec moi au même âge. Je n'ai jamais su comment on était père après dix ans. Avec le premier, j'étais devenu un ami dénué d'autorité ; avec Jules je choisis au contraire de devenir un fantôme visible pour ses dix ans. Même pas un fantôme, car il ne me craindra pas. Mais je le délivrerai du néant qui m'avait été imposé. Pas eu de modèle et quelque chose en moi ne comprenait pas pourquoi il aurait le droit à ce dont la vie m'avait privé cruellement, mais je le lui donnerai quand même, comme je pourrai. Au moins lui, il pourra m'insulter un jour. Moi je n'ai toujours eu qu'une tombe comme figure d'autorité à défier.

Il faudra que je me laisse à nouveau duper par la vie. Je ferai des bagages légers, ma maison restera Porto Ercole. Je ne partirai que pour un temps, me dirai-je. Je quitterai l'Italie en flanquant mes désillusions bien au fond de moi, je sauterai dessus à pieds joints pour bien tasser. Je forcerai mon sourire et il deviendra une habitude comme une autre. Alors, en pilote automatique je viendrai chercher mon fils, je lui ferai vivre la journée de ses rêves, je le gâterai de jouets mais aussi de mots, je lui jurerai qu'il est ma fierté. Je lui raconterai la mort de son grand-père et comme j'ai eu peur de mal faire. Je lui promettrai une journée par semaine, rien que nous deux et je m'y tiendrai. Mais je ne ressentirai rien. Et sûrement grâce à cela, je ferai bien les choses.

À part ces années d'exil italien, j'ai passé peu de temps seul. Il me semble pourtant que ma vie a été une longue solitude. Était-ce de l'amour que je ressentais pour Laure ? C'était en tout cas des fins de solitude. L'équivalent d'une rencontre à chaque fois. Le déplacement du moi à un nous qui n'a pas existé en chair mais qui flotte encore à l'intérieur de mes souvenirs. Laure est ma communion avec une chose qui ne cesse de me terrifier. Il faudra que j'admette que la joie m'est toujours apparue comme un sentiment vulgaire. Qui donc parmi les grands hommes a eu l'idée saugrenue d'être heureux? Laure, un jour, m'avait soutenu que c'était absurde et qu'elle avait mille noms pour me convaincre : Bach, Hemingway. Mais je ne l'ai pas crue. Je ne la croirai pas. Il m'eût fallu pour continuer absolument tout oublier. Vieillir c'est renoncer aux voyages, fussent-ils imaginaires. Je voudrais que de mon corps il ne reste que mon corps. J'aurai du mal à le hisser en sortant du métro. Qu'y avait-il entre cette nuit où je m'y étais engouffré sans elle et son enterrement?

Plus de dix années seront passées, mais je ne saurai pas où. Le temps semblera m'avoir poussé dans de grands escaliers que je dévalerai à vive allure. Je serai grand-père plusieurs fois. Ma fille comme prévu aura divorcé. Mon fils fera un métier chiant. Bianca n'aura pas grossi mais Gilda fumera trop et gobera des cachetons. Jules aura un groupe de rock médiocre et du succès avec les filles. Un homme de plus en somme. J'aurai essayé de revoir Laure à plusieurs reprises et nous rirons au téléphone des seins fermes que je n'avais pas touchés au moment où ils l'étaient et où le Viagra n'était pas une condition à une nuit avec elle. Mais jamais je ne la reverrai. Jamais plus depuis cette fois où elle s'était enfuie du café.

J'attends, en retrait, que tout le monde s'éloigne, qu'on ait scellé sa tombe, pour m'en aller, à mon tour. Le dernier. Je me paye un ultime fou rire au-dessus de ce qu'elle n'est plus, en espérant contaminer le sol d'audace et lui dire adieu, au revoir mon amour. Et pour la première fois, je comprends le sens des regrets, qui me giflent dans le sens contraire du vent. Et je tente de marcher, de faire le chemin du retour. En sachant que je me suis trompé de maison. Toute ma vie.

Alors je déambule sur le boulevard du Montparnasse, puis je me retrouve en bas de la rue Campagne-Première. La pluie cesse. Je continuerai à m'enfoncer dans le XIVᵉ moins chic. En bas de l'ancienne maison de Laure, j'erre dans les rues. Je me demande pourquoi je ne l'ai pas revue, ce que j'attendais. Ce ne sont pas des remords, plutôt un abîme face à ce que je suis et que je ne saisis toujours pas. Nous devons nous retrouver Louis, Jacques et moi comme à chaque finale de Coupe du monde, alors j'y vais. Le code de Louis a changé. Je ne l'ai pas noté cet après-midi. Il me l'a répété plusieurs fois mais je ne parvenais pas à m'imaginer que le temps continuerait d'avancer alors que Laure serait morte. Laure est morte. Je me le répète, planté devant sa porte d'entrée bordeaux. Jacques arrive avec un sac plein de pâtisseries, il m'ouvre.

Dans l'ascenseur, il ne me parle pas. C'est sa façon de me réconforter. Quand Louis ouvre la porte avec son corps d'enfant noueux, Jacques lui balance : « Sandro est malheureux. T'as du vin ? »

Le stade Macarana est toujours souillé de l'humiliation que son pays a subie face à l'équipe d'Allemagne. L'Argentine se sent en danger. À peine entrée sur le terrain, elle en fait trop. Elle ne laisse pas l'Allemagne respirer. Elle veut imprimer son rythme, elle y parvient. Du moins c'est ce qu'un pays vibrant à l'unisson semble s'imaginer avec son équipe. Mais Louis, Jacques et moi, nous savons. Nous avons vu des milliers de matchs, nous décodons la peur dans les yeux de l'Albiceleste. La frappe de Gonzalo Higuain a beau avoir lieu à la troisième minute, elle n'est pas cadrée et ça pue l'échec. Il y a deux jours, les Allemands ont ridiculisé les Brésiliens par 7 buts à 1. Et encore ils ont dû les laisser marquer pour prévenir le taux de suicide chez les hôtes de cette vingtième Coupe du monde. Ils se sentent invincibles, ils sont chez eux. Les Allemands jouent leurs derniers matchs contre les gentils pays qui ont accueilli leurs criminels nazis, de quoi auraient-ils peur? Tu fais chier, Louis, avec ta politique partout! Mais enfin, on sait bien que le foot, c'est la politique, bordel!

Oh putain! Taisez-vous, avec vos conneries on a failli rater un but de Messi qui a accéléré face à Mats Hummels et fait trembler la défense allemande. On joue depuis neuf minutes. Premier corner. C'est Lucas

Biglia qui frappe de loin mais la balle est déviée par Höwedes.

Oui, c'est la vérité. Des gens jouent, des gens crient. La putain de vie continue autour. Rien, rien ne s'arrête, pourtant Laure est morte.

Je n'entendrai plus jamais sa voix. Je ne lui ai pas parlé depuis l'an dernier, éconduit au téléphone. Je m'enthousiasmais : nous sommes vieux, allons faire les fous dans un thé dansant. Elle avait décliné. Elle avait ri. Trop ri, oui. Elle devait savoir déjà. Elle ne voulait pas que je la voie malade ? C'est ça. Ou vieille ? Peut-être que je ne comptais pas, je m'imaginais de l'amour, j'étais juste un pauvre type qui n'avait jamais été capable de lui offrir autre chose que des doutes ? Le dernier visage d'elle que j'aie en mémoire a plus de quinze ans de moins qu'au jour de sa mort. Dieu, qu'elle me plaisait !

Déception de mes camarades, Toni Kroos avait pourtant mis un caviar entre les jambes de Higuain, une passe en arrière. Mais seul face au but, surpris, il manque son tir, la balle passe à côté. Schweinsteiger crochète Lavezzi. Carton Jaune. Pourquoi on ne se plaint pas pareil quand quelqu'un meurt? Pourquoi les cimetières sont-ils silencieux au lieu de ressembler à des stades de foot en colère?

Louis débouche une bouteille de blanc, un bourgogne, il a le goût de tartines beurrées. Au bout d'une demi-heure de jeu, le match commence enfin et on espère un but argentin : Lavezzi est décalé par Messi et centre pour Higuain qui marque. « Hors-jeu » signale l'arbitre. Hors-jeu. Et c'est ma vie qui défile devant moi. J'ai cru que j'étais dans l'action, j'ai cru que je la vivais cette vie. Hors-jeu. L'écran me semble flou. Il s'éloigne comme l'idée de la peau de Laure. Je réalise soudain que son corps est sous terre. Dans un trou. Que rien ne fera revenir le son de sa voix, les baisers par mille qui nous ont échappé. C'est le temps additionnel. Pourquoi ne m'a-t-on pas prévenu que Laure en serait privée? Un poteau. Fin de la première mi-temps.

On se sert du vin. Je réponds quand même, et je ris et je bois. J'ignore comment.

Jacques et Louis commentent la nouvelle tactique de Sabel. Lavezzi est remplacé. Un ballon de Messi frôle le poteau. Un Argentin prend un carton. Un second ? Sur un autre joueur ? Est-ce la même action ? Depuis combien de minutes suis-je en train de penser à Laure ?

Palacio trébuche sur le destin rieur, c'est la mi-temps des prolongations et le score est toujours nul. Il y a des moments où rien ne se passe. C'est à cela que ressemblera ma vie désormais, de moins en moins d'actions, de l'épuisement, une issue certaine. Schweinsteiger tente de toucher le ballon de la tête mais Agüero s'élance aussi avec violence et lui ouvre la pommette. Ça ressemble de plus en plus à une guerre, dans les regards, dans les attitudes, dans l'attente. Schürrle fait une passe à Götze sur la gauche du but, il contrôle de la poitrine et marque. L'Allemagne joue désormais contre la montre, les Argentins ne franchiront plus leur ligne de défense. La

Nationalmannschaft remportera sa quatrième Coupe du monde.

Je claque la porte de chez Louis un peu après le départ de Jacques. J'entends Louis mettre son loquet comme à chaque fois. Il me regarde, un peu, à travers le judas. Je lui fais un signe d'adieu afin qu'il sache que je pense à lui, que je le sais, ami, derrière.

L'ascenseur met du temps à arriver. Et j'espère qu'il descendra des heures, je me sens incapable d'avancer. Je ne comprends plus rien à cette époque qui marque la fin de la mienne. Ce monde boursouflé d'idées dans le désordre, sans hiérarchie, à la morale aussi mouvante que les images qui se succèdent à la télévision. Je suis largué, dans ce multicolore terne, ces continents poreux avec pour seul lien la haine camouflée sous des voiles ou des billets. Quelle différence ?

Je me retrouve seul dans une espèce de nuit. Ou de jour aveuglant. Je n'y vois plus rien et pour m'en sortir, il avait fallu que je parte. Sans les gens, loin de ce que je connais, pour pouvoir tenter de comprendre leurs gestes en les apercevant de loin. Mais rien. Et dans les miroirs de ce monde-là, je ne me suis pas reconnu non plus. Refaire les pas. Mettre mes pieds dans les siens, avant que mon père ne s'en aille. Qu'aurait-il dit ? De quoi m'aurait-il protégé ? Que vais-je bien pouvoir expliquer à mes enfants ? Que je n'ai rien compris. Que je n'ai eu de cesse d'être déçu par les êtres. Qu'il n'y a ni leçon ni formule.

Loin dans sa Nièvre natale, ma mère vieillit sous forme d'assèchement. Elle fond, a perdu une taille de vêtements. Ne boit plus que la moitié de ses tasses de thé... Même ses phrases, elle arrête de les finir. Tu es sûr que ? J'avais pas ? Ah non, ça devait être... Je paie une fortune pour m'absoudre de ne pas aller la voir. Je m'arrange avec une chose en moi, pour ne pas m'en vouloir. Ma mère a toujours été là mais ne m'a servi à rien, comme une sorte d'os inutile, de dent de sagesse ou d'appendice que la programmation génétique des populations futures fait disparaître au fil du temps. Voilà ce qu'a été ma mère.

Une chose qu'on sait là, mais qui n'est qu'un poids, une coquille vide. Je n'avais pas de père à dépasser. La seule chose qu'il a laissée, c'était un vide. Un vide et cette femme dans le paysage. Qui se fait de plus en plus lointaine, qui n'est qu'un point dans le ciel mitigé. Peut-être est-elle déjà morte et je ne m'en souviens pas.

Je descends à pied. L'ascenseur de Louis porte un écriteau avec une faute d'orthographe qui indique qu'il est en panne. Je ne l'avais pas vu. J'ai mal au dos. Je suis vieux, me dis-je plusieurs fois par jour. Je marche quelques mètres. Mon fils cadet m'appelle sur mon portable, pour me parler du foot sans doute, mais je ne lui réponds pas. J'éteins cette machine de malheur. Je marche doucement. Il fait froid pour un mois de juillet. Et je m'en veux de me faire cette réflexion de vieillard alors que le corps de Laure est encore chaud sous la terre. Alors que la terre devrait en geler, s'éteindre, s'arrêter de tourner, et je devrais cesser d'avancer. Pourtant, une jambe après l'autre. Des jeunes gens qui marchent. Une voiture de police. Un bar animé. Le bouquiniste de la rue Scheffer est ouvert comme certains commerces alentour… On entend les télévisions cracher des images d'Allemands joyeux et d'Argentins en larmes. Dans la rue, on célèbre on ne sait quoi. Les prétextes pour boire et ne pas rentrer chez soi sont toujours bons à prendre. Nestor me salue depuis son arrière-boutique. Je décline, d'un signe de tête, son invitation aussi tiède que son champagne. Il trinque *Aux Allemands!* avec un barbu et une dame grosse, trop peu couverte. Je lui fais signe de ranger son étalage et les quelques livres du bac, la pluie commence. Il est trop occupé à faire glisser ses mains sur les cuisses de la dodue qui glousse fort.

Je détourne alors le regard et, sans m'apercevoir de ce que je saisis, dans la caisse destinée aux livres en langues étrangères, entre un Hemingway corné et un Roumain inconnu, le titre *Il Barone Rampante* me sourit. Mes mains en sont émues. Mes gestes, je les mesure. Je ralentis la cadence. Mais mon cœur, pas mon cœur. Je l'ouvre. Au milieu d'abord, au hasard : *Così lo vidi arrivare per le piante, tutto insanguinato…*

Puis, j'imagine la dédicace que j'ai tant espérée, sous l'écriture de Calvino. De l'encre noire. Comme les cheveux du noyé. Les paupières closes, je décolle, tout doucement, la première page, je la caresse et je lève les yeux. D'abord sur le prénom de mon père, ensuite plus haut, sur la lune. Pleine.

Cet ouvrage a été imprimé par
CPI Firmin Didot à Mesnil-sur-l'Estrée
en juin 2015

Composition réalisée par Belle Page

N° d'édition : 18946.   N° d'impression : 129332
Dépôt légal : août 2015
Imprimé en France